JEAN RIVARD LE DÉFRICHEUR

Antoine Gérin-Lajoie

Copyright pour le texte et la couverture © 2023 Culturea
Edition : Culturea (culurea.fr), 34 Hérault
Contact : infos@culturea.fr
Impression : BOD, Norderstedt (Allemagne)
ISBN :9791041834105
Date de publication : juillet 2023
Mise en page et maquettage : https://reedsy.com/
Cet ouvrage a été composé avec la police Bauer Bodoni

Avant-propos

Les pensées d'un homme fort et laborieux produisent toujours l'abondance ; mais tout paresseux est pauvre.

Salomon.

La hardiesse et le travail surmontent les plus grands obstacles.

Fénélon.

Jeunes et belles citadines qui ne rêvez que modes, bals et conquêtes amoureuses ; jeunes élégants qui parcourez, joyeux et sans soucis, le cercle des plaisirs mondains, il va sans dire que cette histoire n'est pas pour vous.

Le titre même, j'en suis sûr, vous fera bâiller d'ennui.

En effet, « Jean Rivard »... quel nom commun ! que pouvait-on imaginer de plus vulgaire ? Passe encore pour Rivard, si au lieu de Jean c'était Arthur, ou Alfred, ou Oscar, ou quelque petit nom tiré de la mythologie ou d'une langue étrangère.

Puis un défricheur... est-ce bien chez lui qu'on trouvera le type de la grâce et de la galanterie ?

Mais, que voulez-vous ? Ce n'est pas un roman que j'écris, et si quelqu'un est à la recherche d'aventures merveilleuses, duels, meurtres, suicides, ou d'intrigues d'amour tant soit peu compliquées, je lui conseille amicalement de s'adresser ailleurs. On ne trouvera dans ce récit que l'histoire simple et vraie d'un jeune homme sans fortune, né dans une condition modeste, qui sut s'élever par son mérite, à l'indépendance de fortune et aux premiers honneurs de son pays.

Hâtons-nous toutefois de dire, mesdames, de peur de vous laisser dans l'erreur, que Jean Rivard était, en dépit de son nom de baptême, d'une nature éminemment poétique, et d'une tournure à plaire aux plus dédaigneuses de votre sexe.

À l'époque où se passent les faits qu'on va lire, il approchait de la vingtaine. C'était un beau jeune homme brun, de taille moyenne. Sa figure mâle et ferme, son épaisse chevelure, ses larges et fortes épaules, mais surtout des yeux noirs, étincelants, dans lesquels se lisait une indomptable force de volonté, tout cela, joint à une âme ardente, à un cœur chaud et à beaucoup d'intelligence, faisait de Jean Rivard un caractère remarquable et véritablement attachant. Trois mois passés au sein d'une grande cité, entre les mains d'un tailleur à la mode, d'un coiffeur, d'un bottier, d'un maître de danse, et un peu de fréquentation de ce qu'on est convenu d'appeler le grand monde, en eussent fait un élégant, un fashionable, un dandy, un cavalier dont les plus belles jeunes filles eussent raffolé.

Mais ces triomphes si recherchés dans certaines classes de la société n'avaient aucun attrait pour notre héros, et Jean Rivard préféra, comme on le verra bientôt, à la vie du lion de ville celle du lion de la forêt.

I

Jean Rivard vint au monde vers l'an 1824, à Grandpré, une de ces belles paroisses canadiennes établies dans la vallée du Lac St. Pierre, sur la rive nord du St. Laurent.

Son père, Jean-Baptiste Rivard, ou simplement Baptiste Rivard, comme on l'appelait dans sa paroisse, aurait passé pour un cultivateur à l'aise s'il n'eût été chargé d'une famille de douze enfants, dont deux filles et dix garçons.

Jean était l'aîné de ces dix garçons.

Comme il montra dès son bas âge, une intelligence plus qu'ordinaire son père se décida, après de longues consultations avec ses plus proches parents et le curé de Grandpré, à le mettre au collège pour l'y faire suivre un cours d'études classiques.

La mère Rivard nourrissait l'espoir secret que Jean prendrait un jour la soutane et deviendrait prêtre. Son plus grand bonheur à la pauvre mère eût été de voir son fils aîné chanter la messe et faire le prône à l'église de Grandpré.

Jean Rivard obtint d'assez bons succès dans ses classes. Ce n'était pas un élève des plus brillants, mais il était studieux, d'une conduite régulière, et, parmi ses nombreux condisciples, nul ne le surpassait dans les choses qui requièrent la constance et l'exercice du jugement.

Les années de collège s'écoulèrent rapidement. Dès le commencement de sa cinquième année, il était entré en Rhétorique, et il goûtait par anticipation les jouissances intellectuelles des années suivantes, car les études philosophiques et scientifiques convenaient à la tournure sérieuse de son esprit ; il se laissait même entraîner à faire des plans pour l'avenir, à bâtir des châteaux en Espagne comme on en bâtit à cet âge, lorsqu'un événement survint, qui renversa tous ses projets : le père Baptiste Rivard mourut.

Ce décès inattendu produisit une révolution dans la famille Rivard. Quand le notaire eut fait l'inventaire des biens de la succession et que la veuve Rivard eut prit sa part de la communauté, il fut constaté que le patrimoine de chacun des enfants ne s'élevait qu'à une somme de quelques cents piastres.

Jean, qui avait fait une partie de ses études, était censé avoir reçu quelque chose « en avancement d'hoirie », et ne pouvait équitablement prétendre aux mêmes avantages pécuniaires que chacun de ses frères et sœurs. Sa part d'héritage à lui ne s'éleva donc en tout et partout qu'à la somme de cinquante louis.

Il lui fallait, avec cette somme, et vivre et s'établir.

II

Choix d'un état

S'il est dans la vie d'un jeune homme une situation pénible, inquiétante, c'est bien celle où se trouvait alors le pauvre Jean Rivard.

Il avait dix-neuf ans ; la pensée de son avenir devait l'occuper sérieusement. Ne pouvant s'attendre à recevoir de personne autre chose que des conseils, il lui fallait, pour faire son chemin dans la vie, se reposer uniquement sur ses propres efforts. Or, disons-le à regret, l'instruction qu'il avait acquise, bien qu'elle eût développé ses facultés intellectuelles, ne lui assurait aucun moyen de subsistance. Il pouvait, à la rigueur, en sacrifiant son petit patrimoine, terminer son cours d'études classiques, – et c'est ce que désiraient sa mère et ses autres parents, – mais il se disait avec raison que si sa vocation au sacerdoce n'était pas bien prononcée, il se trouverait après son cours dans une situation aussi précaire, sinon plus précaire que s'il n'eût jamais connu les premières lettres de l'alphabet.

La première chose qu'il décida fut donc de discontinuer ses études collégiales. Mais ce n'était pas là le point le plus difficile ; il lui fallait de plus faire choix d'un état, démarche grave qu'un jeune homme ne peut faire qu'en tremblant, car de là dépend le bonheur ou le malheur de toute sa vie.

Le suprême ordonnateur de toutes choses a reparti chez ses créatures une diversité de talents et d'aptitudes conformes aux besoins des sociétés. Mais des circonstances particulières, une famille nombreuse, une grande gêne pécuniaire, le défaut de protection, et mille autres raisons forcent, hélas ! trop souvent, de malheureux jeunes gens à embrasser une carrière où ils ne rencontrent que misère et dégoût. Trop souvent aussi, résistant à l'instinct qui les pousse vers un genre de vie plutôt que vers un autre, ils se laissent guider dans leur choix par des considérations de convenance, ou qui pis est, par une absurde et pernicieuse vanité.

Rarement le sage conseil du poète :

est écouté dans cette importante conjoncture.

Il existe aussi malheureusement chez nos populations rurales un préjugé funeste qui leur fait croire que les connaissances et l'éducation ne sont nullement nécessaires à celui qui cultive le sol : à quoi sert d'être savant, dira-t-on, pour manier le *manchon* de la charrue ? Et rien n'est plus étrange aux yeux de certaines gens que de voir un jeune homme instruit ne pas faire choix d'une profession libérale.

Aussi les professions d'avocat, de notaire, de médecin, refuges obligés de tous les collégiens qui n'embrassent pas le sacerdoce, sont déjà tellement encombrées dans notre jeune pays qu'une grande partie de leurs membres ne peuvent y trouver le pain nécessaire à la vie matérielle. La carrière des emplois publics est pareillement encombrée ; d'ailleurs, sans le secours de protecteurs puissants, un jeune homme ne peut rien attendre de ce côté. Le peu de considération accordée à la noble profession d'instituteur l'a fait regarder jusqu'à ce jour comme un pis-aller. L'arpentage, le génie civil, l'architecture ne sont une ressource que pour un très petit nombre d'individus. L'armée et la marine sont à-peu-près fermées à notre jeunesse.

Le pauvre Jean Rivard, obsédé de tous côtés par les donneurs d'avis, ne songea pas d'abord à braver le préjugé régnant, et quoiqu'il ne se sentît de vocation pour aucune des professions dont nous venons de parler, il songea à se faire admettre à l'étude du droit. La loi l'astreignait à cinq années de cléricature, mais il se flattait qu'après une première année passée chez son patron, il recevrait pour son travail une rémunération suffisante à ses dépenses d'entretien. Ce qui lui faisait aussi caresser ce projet, c'était la perspective de se retrouver avec son ami Gustave Charmenil, alors étudiant en droit à Montréal, ami intime, camarade d'enfance, compagnon de collège, dont le souvenir était encore tout chaud dans sa mémoire.

Cependant Jean Rivard ne voulut en venir à aucune détermination arrêtée avant d'avoir consulté le plus ancien ami de son père, M. l'abbé Leblanc, curé de Grandpré ; car, dans nos paroisses canadiennes, le curé est presque toujours regardé comme le conseiller indispensable, le juge en dernier ressort, dans toutes les importantes affaires de famille.

Jean Rivard n'eut rien à apprendre à monsieur le curé qui avait déjà tout appris par la rumeur publique.

– « Je m'attendais à votre visite, mon jeune ami, lui dit le vénérable prêtre, et je suis heureux de vous voir. J'ai pensé tous les jours à vous depuis un mois ; j'ai partagé vos inquiétudes, vos embarras, et puisque vous venez, suivant votre coutume, me demander mon avis, je vous dirai franchement et sans détour, que nous n'en sommes pas venus tous deux à la même conclusion. Votre projet d'étudier le droit ne me sourit pas, je vous l'avoue. Vous savez que j'ai moi-même étudié cette profession avant d'entrer dans les ordres ; je puis par conséquent vous parler en homme qui possède une certaine connaissance de son sujet. » Il se fit un moment de silence.

« Je ne vous cacherai pas, continua le curé, que cette carrière me souriait comme à vous, lorsque, il y a bientôt trente ans, je quittai le collége ; elle sourit à presque tous les jeunes gens qui ont de l'ambition et qui se croient destinés à jouer un rôle dans les affaires de leur pays. Rien n'éblouit comme l'art de la parole, et c'est le plus souvent parmi les avocats qu'on rencontre les hommes qui exercent ce talent avec le plus de puissance.

« Il faut avouer que cette profession offre des avantages réels. L'étude de la loi exerce le jugement ; l'habitude du raisonnement et de la discussion, donne par degré à l'homme doué de talents naturels une grande vigueur d'esprit, et une subtilité d'argumentation qui le font sortir vainqueur de presque toutes les luttes qui requièrent l'exercice des facultés intellectuelles.

« Dans l'étude de ses moyens, voyez-vous, l'avocat est sans cesse excité par deux des plus puissants mobiles du cœur humain, l'orgueil et l'amour du gain : sa raison, toujours tendue pour ainsi dire, prend graduellement de la force, comme le bras du forgeron qui se durcit chaque jour par le travail ; et après un certain nombre d'années, surtout s'il a fait fortune et s'il jouit d'une forte santé, il peut déployer ses talents sur un plus grand théâtre. Partout les hommes d'état se recrutent, à quelques exceptions près, dans cette classe privilégiée.

« Vous voyez que je ne cherche pas à nier les avantages de la profession. Disons pourtant, puisque nous en sommes à considérer le pour et le contre, qu'on reproche aux avocats, devenus hommes publics, de rapetisser les grandes questions de politique, de les envisager d'un point de vue étroit, surtout de faire emploi de petits moyens, de ces raisons futiles connues sous le terme d'objections à la forme et qui dénotent chez leurs auteurs plus de subtilité d'esprit que de libéralité et de largeur de vues. Ces messieurs ont bien quelquefois leurs petits ridicules. Vous vous rappelez ce passage de Timon :

Les avocats parlent pour qui on veut, tant qu'on veut, sur ce qu'on veut, etc., etc.

et vous avez lu sans doute son chapitre sur l'éloquence du barreau. »

– « Je vous avouerai, M. le curé, dit Jean Rivard, que l'amour des honneurs n'est pour rien dans le choix que j'ai voulu faire ; je n'ai pas la prétention de faire un orateur ni un homme politique. Mon but, hélas ! est peut-être moins élevé, moins noble ; j'ai cru voir dans cette carrière un acheminement à la fortune, et un moyen d'aider à l'établissement de mes jeunes frères. »

– « Venons-en donc à cette question, puisqu'elle est la plus intéressante pour vous. Vous avouez qu'en vous lançant dans cette carrière vous avez, comme tous vos confrères, l'espoir d'y faire fortune ; vous pourriez être un de ces rares privilégiés, bien que vous admettiez vous-même que vous ne possédez pas cette assurance, ni cette facilité d'expression qui font les avocats éminents. Mais il est un moyen assez simple de vous éclairer sur ce sujet. Prenez la liste des avocats admis depuis vingt ans aux divers barreaux de la province, et voyez dans quelle proportion se trouvent ceux qui vivent exclusivement de l'exercice de leur profession. Je ne pense pas me tromper en disant que c'est à peine si vous en trouvez un quart. Les trois autres quarts, après avoir attendu pendant plusieurs années une clientèle toujours à venir, se retirent découragés. Les uns se jetteront dans le journalisme, d'autres dans le commerce ou dans des spéculations plus ou moins licites ; celui-ci cherchera un emploi dans les bureaux publics, celui-là ira cacher son désappointement dans un pays étranger ; un grand nombre resteront à charge à leurs parents ou à leurs amis ; les autres, abreuvés de dégoûts et d'ennuis, se laisseront aller à la dissipation, à la débauche, et finiront misérablement. Car sachez bien, mon ami, que les avocats de premier ordre, c'est-à-dire, les avocats de talents transcendants, sont presque seuls à recueillir les avantages attachés à la profession. César préférait être le premier dans une bicoque que le second dans Rome ; pour ma part, je crois que sans avoir l'ambition de César, on peut être justifiable de préférer occuper le premier rang dans un état quelconque que le second dans la profession d'avocat.

« Une autre importante considération, mon enfant, c'est qu'il n'est guère possible à un jeune homme sans moyens pécuniaires, de faire une étude suffisante de la profession, ni de se créer ensuite une clientèle s'il n'a pas de protecteurs ou d'amis influents.

– Mais ne croyez-vous pas qu'après une première année passée dans un bureau d'avocat, je serais en état de subvenir à mes dépenses ?

– J'admets que la chose est possible, mais il y a dix chances contre une que votre espoir sera déçu. Peut-être après de longues et ennuyeuses démarches, trouverez-vous à enseigner le français dans une famille, à tenir les livres d'un marchand ou à faire quelque autre travail analogue ; mais cet avantage même, qui ne se rencontre que rarement, sera cause que vous négligerez vos études professionnelles. Vous savez le proverbe : on ne peut courir deux lièvres à la fois. J'ai connu des jeunes gens d'une grande activité d'esprit, pleins d'ardeur pour l'étude, qui se seraient probablement distingués au barreau, s'ils avaient pu faire une cléricature régulière, mais qui, obligés pour vivre, de se faire copistes, instituteurs, traducteurs, ou d'écrire pour les gazettes, ne purent acquérir une connaissance suffisante de la procédure et de la pratique, et durent se résigner bon gré mal gré à tenter fortune ailleurs. Car, sachez-le bien, mon ami, aucun état ne demande un apprentissage plus sérieux, plus consciencieux.

« Or, la somme nécessaire à la pension et à l'entretien d'un étudiant pendant quatre ou cinq années de cléricature, celle encore plus considérable qu'il doit consacrer à l'acquisition de livres, à l'ameublement de son bureau, et à attendre patiemment la clientèle tant désirée, tout cela réuni forme un petit capital qui, appliqué à quelque utile industrie, peut assurer l'avenir d'un jeune homme. »

Le pauvre Jean Rivard, qui songeait à ses cinquante louis, se sentit intérieurement ébranlé et fut sur le point de déclarer aussitôt qu'il renonçait à son projet ; mais monsieur le curé continua :

– « Puis, mon ami, comptez-vous pour rien tous les tourments d'esprit inséparables de cette existence précaire ? Comptez-vous pour rien la privation des plaisirs du cœur, des jouissances de la vie de famille pendant les plus belles années de votre séjour sur la terre ? Car, même en supposant que vous seriez un des privilégiés de votre ordre, vous vous rendrez à trente ans et peut-être plus loin, avant de pouvoir vous marier. La vanité, les exigences sociales sont pour beaucoup, il est vrai, dans cette fatale et malheureuse nécessité, mais le fait existe, et vous ne serez probablement pas homme à rompre en visière aux habitudes de votre classe. »

Cette dernière considération était de nature à faire une forte impression sur Jean Rivard, comme on le comprendra plus tard.

– « Il y a enfin, mon cher enfant, ajouta le bon prêtre, une autre considération dont on ne s'occupe guère à votre âge, mais qui me paraît à moi plus importante que toutes les autres ; c'est que la vie des villes expose à toutes sortes de dangers. Sur le grand nombre de jeunes gens qui vont y étudier des professions, ou y apprendre le commerce, bien peu, hélas ! savent se préserver de la contagion du vice. Ils se laissent entraîner au torrent du mauvais exemple. Puis, dans les grandes villes, voyez-vous, les hommes sont séparés pour ainsi dire de la nature ; l'habitude de vivre au milieu de leurs propres ouvrages les éloigne de la pensée de Dieu. S'ils pouvaient comme nous admirer chaque jour les magnificences de la création, ils s'élèveraient malgré eux jusqu'à l'auteur de toutes choses, et la cupidité, la vanité, l'ambition, les vices qui les tourmentent sans cesse n'auraient plus autant de prise sur leurs cœurs...

Le bon prêtre allait continuer ses réflexions, lorsque Jean Rivard se levant :

– « Monsieur le curé, dit-il, vos réflexions sont certainement bien propres à me convaincre que je me suis laissé entraîner dans une fausse voie. Veuillez en accuser mon peu d'expérience, et croyez que je suis prêt à abandonner sans hésitation, sans arrière-pensée, un projet pour lequel je ne sens d'ailleurs aucun enthousiasme. Mais, en renonçant à ce dessein, je retombe dans les soucis, dans les embarras qui m'ont tourmenté depuis la mort de mon père. C'est une terrible chose, M. le curé, pour un jeune homme sans fortune et sans expérience, que d'avoir à se décider sur le choix d'un état. »

– « Personne, mon enfant, ne comprend cela mieux que moi, et je vous dirai que le grand nombre de jeunes gens qui sortent chaque année de nos collèges m'inspirent la plus profonde compassion. Au point où nous en sommes rendus, si par un moyen ou par un autre on n'ouvre avant peu à notre jeunesse de nouvelles carrières, les professions libérales vont s'encombrer d'une manière alarmante, le nombre de têtes inoccupées ira chaque jour grossissant et finira par produire quelque explosion fatale.

« Si vous me demandez d'indiquer un remède à cet état de choses, je serai bien obligé de confesser mon impuissance. Néanmoins, après y avoir mûrement réfléchi, et avoir fait de cette question l'objet de mes méditations pendant de longues années, j'en suis venu à la conclusion que le moyen le plus naturel et le plus efficace, sinon d'arrêter tout-à-fait le mal, au moins de le neutraliser jusqu'à un certain point, c'est d'encourager de toutes manières et par tous moyens la jeunesse instruite de nos campagnes à embrasser la carrière agricole.

« C'est là, suivant moi, le moyen le plus sûr d'accroître la prospérité générale tout en assurant le bien-être des individus, et d'appeler sur la classe la plus nombreuse de notre population la haute considération dont elle devrait jouir dans tous les pays. Je n'ai pas besoin de vous répéter tout ce qu'on a dit sur la noblesse et l'utilité de cette profession. Mais consultez un moment les savants qui se sont occupés de rechercher les causes de la prospérité des nations, et vous verrez que tous s'accordent à dire que l'agriculture est la première source d'une richesse durable ; qu'elle offre plus d'avantages que tous les autres emplois ; qu'elle favorise le développement de l'intelligence plus que toute autre industrie ; que c'est elle qui donne naissance aux manufactures de toutes sortes ; enfin qu'elle est la mère de la prospérité nationale, et pour les particuliers la seule occupation réellement indépendante. L'agriculteur qui vit de son travail peut dire avec raison qu'« il ne connaît que Dieu pour maître. » Ah ! s'il m'était donné de pouvoir me faire entendre de ces centaines de jeunes gens qui chaque année quittent nos campagnes pour se lancer dans les carrières professionnelles, commerciales, ou industrielles, ou pour aller chercher fortune à l'étranger, je leur dirais : ô jeunes gens, mes amis, pourquoi désertez-vous ? pourquoi quitter nos belles campagnes, nos superbes forêts, notre belle patrie pour aller chercher ailleurs une fortune que vous n'y trouverez pas ? Le commerce, l'industrie vous offrent, dites-vous, des gages plus élevés, mais est-il rien d'aussi solide que la richesse agricole ? Un cultivateur intelligent voit chaque jour augmenter sa richesse, sans craindre de la voir s'écrouler subitement ; il ne vit pas en proie aux soucis dévorants ; sa vie paisible, simple, frugale, lui procure une heureuse vieillesse.

« Vous ne doutez pas, mon jeune ami, de l'intérêt que je vous porte. Eh bien ! je suis tellement persuadé que cette carrière, tout humble qu'elle puisse paraître à vos yeux, est préférable aux professions libérales, au moins pour la plupart des jeunes gens, que je n'hésite pas un instant à vous recommander de l'embrasser, malgré toutes les objections que l'on pourra vous faire. Pour avoir étudié pendant quelques années, ne vous en croyez pas moins apte à la culture de la terre. Au contraire, mon ami, l'étude a développé vos facultés naturelles, vous avez appris à penser, à méditer, à calculer, et nul état ne demande plus d'intelligence que celui de l'agriculteur. Si cet art n'a pas fait de plus rapides progrès parmi nous, il faut en accuser en grande partie la malheureuse répugnance qu'ont montrée jusqu'aujourd'hui nos hommes instruits à se dévouer à cette honorable industrie. Bravez, le premier, mon jeune ami, ce préjugé funeste, d'autres vous imiteront bientôt et en peu d'années l'agriculture sera régénérée. »

Chacune de ces paroles allait au cœur de Jean Rivard. C'était bien là son rêve de tous les jours, son idée favorite. Mais chaque fois qu'il en avait parlé dans sa famille, son projet avait excité de telles clameurs qu'il n'osait plus revenir sur ce sujet. D'ailleurs une difficulté existait à laquelle ne songeait pas le bon curé : comment, avec la petite somme de cinquante louis, songer à devenir propriétaire à Grandpré, lorsqu'une ferme de dimension ordinaire n'y pouvait coûter moins de douze à quinze mille francs, sans compter la somme nécessaire à l'acquisition du matériel agricole et des animaux indispensables à l'exploitation ?

Jean Rivard passa donc encore plusieurs mois à considérer sa situation, à faire des projets de toutes sortes, à chercher tous les moyens imaginables de sortir d'embarras. Parfois le découragement s'emparait de son âme et l'avenir s'offrait à ses regards sous les couleurs les plus sombres. Eh quoi ! se disait-il, serai-je condamné à travailler comme journalier, comme homme de peine, dans les lieux mêmes où mon père cultivait pour son propre compte ? La pensée d'émigrer, de s'expatrier, lui venait bien quelquefois, mais il la repoussait aussitôt comme antipatriotique, antinationale.

Une raison secrète qu'on connaîtra bientôt rendait encore plus vif son désir de s'établir le plus promptement possible.

III

Noble résolution de Jean Rivard

Les soucis qui tourmentaient notre jeune homme surexcitèrent à tel point son système nerveux qu'il lui arriva plus d'une fois de passer la nuit sans fermer l'œil. Il se levait, se promenait de long en large dans sa chambre, puis se couchait de nouveau, demandant en vain au sommeil quelques moments de repos. Enfin il arriva qu'une nuit, après plusieurs heures d'une insomnie fiévreuse, il s'endormit profondément, et eut un songe assez étrange. Il se crut transporté au milieu d'une immense forêt. Tout-à-coup des hommes apparurent çà et là sous les coups de la cognée. Bientôt ces arbres furent remplacés par des moissons luxuriantes ; puis des vergers, des jardins, des fleurs surgirent comme par enchantement. Le soleil brillait dans tout son éclat ; il se crut au milieu du paradis terrestre. En même temps il lui sembla entendre une voix lui dire : il ne dépend que de toi d'être un jour l'heureux et paisible possesseur de ce domaine.

Bien que Jean Rivard fût loin d'être superstitieux, ce songe fit cependant sur lui une impression extraordinaire. En s'éveillant, une pensée qu'il regarda comme une inspiration du ciel lui traversa le cerveau, et dès que le jour parut, se levant plus tôt que d'habitude, il annonça à sa mère qu'il allait partir pour un voyage de quelques jours.

Or, voici le projet que Jean Rivard avait en tête. Il savait qu'en arrière des paroisses qui bordent le beau et grand fleuve Saint-Laurent s'étendaient d'immenses forêts qui ne demandaient qu'à être défrichées pour produire d'abondantes récoltes. Là, pour une modique somme, un jeune homme pouvait facilement devenir grand propriétaire. Il est bien vrai que les travaux de déboisement n'étaient pas peu de chose et devaient entrer en ligne de compte, mais ces travaux ne demandaient que du courage, de l'énergie, de la persévérance, et n'effrayaient nullement notre héros.

Jean Rivard avait donc résolu de s'établir intrépidement sur une terre en bois debout, de la défricher, de l'exploiter, et il voulait à cette fin faire une visite d'exploration.

La partie du Bas-Canada qu'on appelle les Cantons de l'Est et qui s'étend au sud du fleuve Saint-Laurent, depuis la rivière Chaudière jusqu'à la rivière Richelieu, comprenant plus de quatre millions d'acres de terre fertile, est excessivement intéressante, non seulement pour l'économiste, mais aussi pour l'artiste, le poète et le voyageur. Partout la nature s'y montre, sinon aussi sublime, aussi grandiose, du moins presque aussi pittoresque que dans le bas du fleuve et les environs de Québec. Montagnes, collines, vallées, lacs, rivières, tout y semble fait pour charmer les regards. Le touriste qui a parcouru les bords de la rivière Chaudière, Nicolet, Bécancour, avec leurs chaînes de lacs, leurs cascades, leurs rives escarpées ; les lacs Memphremagog, Saint-François, Mégantic, Aylmer, avec leurs îlots verdoyants, présentent à l'œil le même genre de beautés ravissantes.

Ajoutons à cela que le sol y est partout d'une fertilité remarquable, que le ciel y est clair et le climat salubre, que toutes les choses nécessaires à la nourriture de l'homme, poisson, gibier, fruits, s'y trouvent en abondance, et l'on s'étonnera sans doute que cette partie du Canada n'ait pas été peuplée plus tôt.

Ce n'est que vers la fin du dernier siècle que trente familles américaines traversèrent la frontière pour venir s'établir dans le canton de Stanstead et les environs.

Divers causes retardèrent la colonisation de cette partie du pays. On sait que d'immenses étendues de forêts devinrent de bonne heure la proie d'avides spéculateurs qui pendant longtemps refusèrent de les concéder. Ce n'est que depuis peu d'années que l'adoption de mesures législatives, et la construction de chemins de fer et autres voies de communication dirigèrent l'émigration canadienne vers ces fertiles régions.

C'est là que Jean Rivard avait résolu de se fixer.

Ce fut une scène touchante dans la famille Rivard. La mère surtout, la pauvre mère déjà habituée à regarder son Jean comme le chef de la maison, ne pouvait se faire à l'idée de se séparer de lui. Elle l'embrassait en pleurant, puis s'occupait à préparer ses effets de voyage et revenait l'embrasser de nouveau. Il lui semblait que son enfant s'en allait au bout du monde et son cœur maternel s'exagérait les dangers qu'il allait courir.

Jean Rivard comprit que c'était l'occasion pour lui de se montrer ferme, et refoulant au fond du cœur les émotions qui l'agitaient :

– « Ma bonne mère, dit-il, vous savez que personne ne vous aime plus tendrement que moi ; vous n'ignorez pas que mon plus grand bonheur serait de passer ma vie auprès de vous, et au milieu de mes frères et sœurs. Les plaisirs du cœur sont si doux... et je pourrais les goûter dans toute leur plénitude. Mais ce bonheur ne m'est pas réservé. Je ne veux pas revenir sur les considérations qui m'ont fait prendre le parti de m'éloigner, vous les connaissez, ma mère, et je suis convaincu que vous m'approuverez vous-même un jour. Ce qui m'encourage dans ce dessein, c'est l'espoir de me rendre utile à moi-même, à mes jeunes frères, et peut-être à mon pays. Si je partais pour une expédition lointaine, pour une terre étrangère, sans but arrêté, comme ont fait et comme font malheureusement encore un grand nombre de nos jeunes compatriotes, je concevrais vos inquiétudes. Mais non, Dieu merci, cette mauvaise pensée n'a jamais eu de prise sur moi ; je demeure dans le pays qui m'a vu naître, je veux contribuer à exploiter les ressources naturelles dont la nature l'a si abondamment pourvu ; je veux tirer du sol les trésors qu'il recèle, et, qui, sans des bras forts et vigoureux, y resteront enfouis longtemps encore. Devons-nous attendre que les habitants d'une autre hémisphère viennent, sous nos yeux, s'emparer de nos forêts, qu'ils viennent choisir parmi les immenses étendues de terre qui restent encore à défricher les régions les plus fertiles, les plus riches, puis nous contenter ensuite de rebuts ? Devons-nous attendre que ces étrangers nous engagent à leur service ? Ah ! à cette pensée, ma mère, je sens mes muscles se roidir et tout mon sang circuler avec force. Je possède de bons bras, je me sens de l'intelligence, je veux travailler, je veux faire servir à quelque chose les facultés que Dieu m'a données ; et si le succès ne couronne pas mes efforts, je me rendrai au moins le bon témoignage d'avoir fait mon devoir. »

La pauvre mère, en entendant ces nobles sentiments sortir de la bouche de son fils, dut se résigner et se contenter de pleurer en silence.

IV

Jean Rivard, propriétaire

Jean Rivard partit de Grandpré, traversa le Saint-Laurent en canot et s'aventura ensuite dans les terres.

Le lendemain de son départ, il s'arrêta dans un village dont les maisons presque toutes nouvellement construites et blanchies à la chaux offraient un certain air d'aisance et de gaieté, et au centre duquel s'élevait une petite église surmontée d'un clocher.

Heureusement pour Jean Rivard, ce village était presque entièrement peuplé de Canadiens. Il alla frapper à la porte de la maison de M. Lacasse, magistrat de l'endroit, qu'il connaissait déjà de réputation.

M. Lacasse était en même temps cultivateur et commerçant. Il n'avait reçu que peu d'instruction dans sa jeunesse, mais il possédait un grand fond de bon sens et des sentiments honorables qui le faisaient estimer de tous ceux qui l'approchaient.

Jean Rivard prit la liberté de se présenter à lui, et après lui avoir décliné son nom, lui fit part en quelques mots du but de son voyage.

M. Lacasse l'écouta attentivement, tout en le considérant avec des yeux scrutateurs, puis s'adressant à lui :

– « Jeune homme, dit-il, avant de vous dire ce que je pense de votre démarche, permettez-moi de vous faire deux ou trois questions : quel âge avez-vous ?

– J'ai dix-neuf ans.

– Vous ne me paraissez guère habitué au travail ; avez-vous une bonne santé ? êtes-vous fort et vigoureux ?

– Je jouis d'une excellente santé, et si je ne suis pas encore habitué au travail, j'espère le devenir un jour.

– C'est bien ; mais encore une question, s'il vous plaît : êtes-vous persévérant ? s'il vous survenait des obstacles, des revers, des accidents, seriez-vous homme à vous décourager ? Cette question est de la plus grande importance.

– Monsieur, depuis le jour où j'ai quitté le collège, j'ai toujours eu présente à l'esprit une maxime que nous répétait souvent notre excellent directeur : avec le travail on vient à bout de tout, ou comme il nous disait en latin : *labor omnia vincit.* J'ai pris ces trois mots pour devise, car je comprends que le sens qu'ils présentent doit être d'une application plus fréquente dans la vie du défricheur que dans aucun autre état.

– C'est bien, c'est bien, mon jeune ami ; je ne suis pas fort sur le latin, mais je vois avec plaisir que vous connaissez le rôle que vous aurez à jouer. Vous parlez comme un brave, et je suis heureux d'avoir fait votre connaissance. Maintenant, mon ami, la première chose que vous avez à faire, c'est de choisir un bon lopin de terre, un lot dont la situation et la fertilité vous promettent une ample rémunération de vos labeurs ; car il n'est pas de spectacle plus désolant que celui d'un homme intelligent et courageux qui épuise sa vigueur sur un sol ingrat. »

M. Lacasse fit alors connaître en peu de mots à Jean Rivard, d'après l'expérience qu'il avait acquise durant sa longue carrière de défricheur, à quels signes on pouvait juger de la bonne ou mauvaise qualité du sol.

– « Monsieur, dit Jean Rivard, je vous remercie mille fois de vos renseignements précieux, que je ne manquerai pas de mettre à profit. Mais, dites-moi, je vous prie, puis-je en toute confiance choisir dans les milliers d'arpents non encore défrichés de ces vastes Cantons de l'Est, le lot qui me conviendra, sauf à en payer plus tard le prix au propriétaire, quand il me sera connu ?

– Oh ! gardez-vous-en bien. Si je vous racontais tous les malheurs qui sont résultés des imprudences de ce genre, et dont nos pauvres compatriotes ont été les victimes, surtout depuis un certain nombre d'années, vous en frémiriez. Les grands propriétaires de ces terres incultes ne sont pas connus aujourd'hui, mais ils se cachent comme le loup qui guette sa proie ; et lorsque, après plusieurs années de travail, un défricheur industrieux aura doublé la valeur de leur propriété, ils se montreront tout-à-coup pour l'en faire déguerpir. Suivez mon conseil, mon jeune ami ; vous avez près d'ici le canton de Bristol presque entièrement inhabité, et possédé en grande partie par le gouvernement et l'Hon. Robert Smith qui réside dans ce village même ; allez, et si, après avoir parcouru la forêt, vous trouvez un lot qui vous convienne, je me charge de vous le faire obtenir. Mais comme il n'y a encore qu'une espèce de sentier qui traverse le canton, je vais vous faire accompagner par un homme que j'ai à mon service, qui connaît parfaitement toute cette forêt et qui pourra même au besoin vous donner d'excellents avis.

– Monsieur, je ne saurais vous exprimer combien je vous suis reconnaissant de tant de bontés...

– Chut ! mon ami, ne parlez pas de reconnaissance. Si vous réussissiez comme vous le méritez, je serai suffisamment récompensé. On ne trouve pas tous les jours à obliger des jeunes gens de cœur. »

Jean Rivard et l'homme de M. Lacasse partirent donc ensemble pour parcourir en tous sens le canton de Bristol, après avoir eu le soin de se munir d'une petite boussole.

Ils ne revinrent que le lendemain soir.

Sans entrer dans tous les détails de l'itinéraire de nos explorateurs, disons tout de suite que Jean Rivard avait fait choix, à trois lieues environ du village de Lacasseville, (appelé ainsi du nom de son fondateur M. Lacasse,) d'un superbe lopin de terre, tout couvert de beaux et grands arbres, et dont le sol était d'une richesse incontestable. Une petite rivière le traversait. D'après la description qu'il en fit à M. Lacasse, celui-ci jugea que son protégé ne s'était pas trompé, et tous deux se rendirent aussitôt chez l'Hon. Robert Smith, lequel, tout en manifestant d'abord une sorte de répugnance à se dessaisir d'une partie de son domaine inculte, finit par concéder à Jean Rivard cent acres de terre à cinq chelins l'acre, payables en quatre versements égaux, dont le premier ne devenait dû qu'au bout de deux années, – à condition toutefois que Jean Rivard s'établirait sur le lot en question et en commencerait sans délai le défrichement.

Le marché conclu et signé, Jean Rivard remercia de nouveau son ami et bienfaiteur M. Lacasse, et après lui avoir serré la main, partit en toute hâte pour retourner auprès de sa mère, à Grandpré.

V

Une prédiction

Autant notre héros avait paru morose et soucieux à son départ, autant il paraissait heureux à son retour.

Il était rayonnant de joie.

On peut s'imaginer combien sa bonne mère, qui n'avait cessé de penser à lui durant son absence, fut heureuse de le voir revenu sain et sauf. Ses frères et sœurs firent bientôt cercle autour de lui pour lui souhaiter la bienvenue et savoir l'histoire de son voyage.

– « Eh ! dit sa jeune sœur Mahtilde, comme te voilà radieux ! Aurais-tu par hasard fait la rencontre de quelque jolie blonde dans le cours de ton excursion ?

– Oh ! bien mieux que cela, répondit laconiquement notre héros.

– Comment donc ! mais conte-nous cela vite, se hâtèrent de dire à la fois tous les frères et sœurs, en se pressant de plus en plus autour de lui ?

– Eh bien ! dit Jean d'un ton sérieux, je suis devenu propriétaire. J'ai maintenant à moi, en pleine propriété, sans aucune redevance quelconque, sans lods et ventes, ni cens et rentes, ni droit de banalité, ni droit de retrait, ni aucun autre droit quelconque, un magnifique lopin de cent acres de terre...

– Oui, de terre en bois debout, s'écria le frère cadet ; on connaît cela. La belle affaire ! comme si chacun ne pouvait en avoir autant ! Mais, dis donc, Jean, continua-t-il, d'un ton moqueur, est-ce que celui qui t'a cédé ce magnifique lopin s'engage à le défricher ?

– Nullement, repartit Jean, je prétends bien le défricher moi-même.

– Oh ! oh ! dirent en riant tous les jeunes gens composant l'entourage, quelle belle spéculation ! mais sais-tu Jean, que te voilà devenu riche ? cent arpents de terre... à bois... mais c'est un magnifique établissement...

– Si tu te laisses mourir de froid, disait l'un, ce ne sera pas au moins faute de combustible.

– À ta place, disait un autre, je me ferais commerçant de bois. »

Jean Rivard écoutait ces propos railleurs sans paraître y faire la moindre attention. Il laissa faire tranquillement, et quand les quolibets furent épuisés :

– « Riez tant que vous voudrez, dit-il, mais retenez bien ce que je vais vous dire :

J'ai dix-neuf ans et je suis pauvre ; ... à trente ans, je serai riche, plus riche que mon père ne l'a jamais été. Ce que vous appelez par dérision mon magnifique établissement vaut à peine vingt-cinq louis aujourd'hui... il en vaudra deux mille alors.

– Et avec quoi, hasarda l'un des frères, obtiendras-tu ce beau résultat ?

– Avec cela, dit laconiquement Jean Rivard, en montrant ses deux bras. »

L'énergie et l'air de résolution avec lesquels il prononça ces deux mots firent taire les rieurs, et électrisèrent en quelque sorte ses jeunes auditeurs.

Il se fit un silence qui ne fut interrompu que par la voix de la sœur Mathilde qui, tout en continuant son travail de couture, murmura d'un ton moitié badin, moitié sérieux :

« Je connais pourtant une certaine personne à qui ça ne sourira guère d'aller passer sa vie dans les bois. »

Cette remarque à laquelle Jean Rivard ne s'attendait pas, le fit rougir jusqu'au blanc des yeux, et sembla le déconcerter plus que toutes les objections qu'on lui avait déjà faites. Il se rassura pourtant graduellement, et après avoir pris congé de la famille, se retira sous prétexte de se reposer, mais de fait pour rêver à son projet chéri.

VI

Mademoiselle Louise Routier

On était au commencement d'octobre (1843), et Jean Rivard tenait beaucoup à ensemencer quelques arpents de terre dès le printemps suivant. Pour cela il n'avait pas de temps à perdre.

Par un heureux et singulier hasard, sur le lot qu'il avait acheté se trouvait déjà une petite cabane érigée autrefois par un pauvre colon canadien qui avait projeté de s'établir dans cet endroit, mais que l'éloignement des habitations, le défaut de chemins, et surtout la crainte d'être forcé de déguerpir, avaient découragé.

Ces habitations primitives de la forêt sont construites au moyen de pièces de bois superposées et enchevêtrées l'une dans l'autre aux deux extrémités. Le toit qui est plat est pareillement formé de pièces de bois placées de manière à empêcher la neige et la pluie de pénétrer à l'intérieur. L'habitation forme généralement une espèce de carré d'un extérieur fort grossier, qui n'appartient à aucun style connu d'architecture, et n'est pas même toujours très confortable à l'intérieur, mais qui cependant offre au défricheur un abri temporaire contre les intempéries des saisons. À quelques-unes de ces cabanes, la lumière vient par des fenêtres pratiquées dans les côtés, à d'autres elle ne vient que par la porte. La fumée du poêle doit tant bien que mal sortir par un trou pratiqué dans le toit.

Le pauvre colon qui le premier s'était aventuré dans le canton de Bristol, avait dû coucher pendant plusieurs nuits à la belle étoile ou sous une tente improvisée en attendant la construction de la cabane en question.

Cette hutte abandonnée pouvait toutefois servir de gîte à Jean Rivard et rien ne s'opposait à ce qu'il commençât sans délai ses travaux de défrichement.

Les opérations devaient être nécessairement fort restreintes. On comprend qu'une exploitation basée sur un capital de cinquante louis ne pouvait être commencée sur une bien grande échelle. Et cette somme de cinquante louis composant toute la fortune de Jean Rivard, il ne se souciait guère de la risquer d'abord tout entière.

La première chose dont il s'occupa fut d'engager à son service un homme en état de l'aider de son travail et de son expérience dans les défrichements qu'il allait entreprendre. Il rencontra cet homme dans la personne d'un journalier de Grandpré, du nom de Pierre Gagnon, gaillard robuste, toujours prêt à tout faire, et habitué d'ailleurs aux travaux les plus durs. Jean Rivard convint de lui payer quinze louis par année en sus de la nourriture et du logement. Pour une somme additionnelle de dix louis, il pouvait se procurer des provisions de bouche pour plus de six mois, les ustensiles les plus indispensables, et quelques objets d'ameublement de première nécessité. Mais pour éviter les frais de transport, tous ces articles devaient être achetés au village de Lacasseville.

Cependant plus l'heure du départ approchait, plus Jean Rivard devenait triste ; une sombre mélancolie qu'il ne pouvait dissimuler s'emparait de son âme, à l'idée de quitter ses amis, ses voisins, sa famille, surtout sa vieille mère, dont il avait été l'espoir depuis le jour où elle était devenue veuve. La vérité nous oblige aussi de dire en confidence au lecteur qu'il y avait à la maison voisine une jeune et jolie personne de dix-sept ans dont Jean Rivard ne pouvait se séparer qu'avec regret. C'était mademoiselle Louise Routier, fille de M. François Routier, ancien et fidèle ami de feu Baptiste Rivard. Jean et Louise avaient été élevés presque ensemble et avaient naturellement contracté l'un pour l'autre un attachement assez vif. Mais on ne saurait mieux faire connaître dans quelle disposition de cœur se trouvait notre héros à l'égard de cette jeune fille qu'en rapportant l'extrait suivant d'une lettre écrite à cette époque par Jean Rivard lui-même à son ami Gustave Charmenil :

« Que fais-tu donc, mon cher Gustave, que tu ne m'écris plus ? As-tu sur le métier quelque poème de ta façon ? Ou serais-tu absorbé par hasard dans l'étude du droit ? Ou, ce qui est plus probable, serais-tu tombé en amour comme moi ? Tu ris, et tu ne me croiras pas quand je te dirai que depuis six mois je suis amoureux fou... et devine de qui ?... Écoute : tu te souviens de la petite Louise que nous trouvions si gentille, pendant nos vacances ? Eh bien ! depuis ton départ, elle a joliment grandi ; si tu la voyais le dimanche à l'église, avec sa robe de couleur rose, la même couleur que ses joues ; si tu voyais ses grands yeux bleus, et les belles dents qu'elle montre quand elle rit, ce qui arrive assez souvent, car elle est d'une gaieté folle ; si tu la voyais danser ; si surtout tu pouvais converser une demi-heure avec elle... tu concevrais que j'aie pu me laisser prendre. Je t'avouerai que j'ai été assez longtemps avant de me déclarer ouvertement ; tu sais que je n'aime pas à précipiter les choses ; mais enfin je n'ai pu y tenir, et un bon jour, ou plutôt un bon soir que j'avais soupé chez le père Routier après avoir accompagné Louise à son retour de vêpres, me trouvant avec elle sur la galerie, je me hasardai à lui faire une déclaration d'amour en forme ; toute ma crainte était qu'elle n'éclatât de rire, ce qui m'aurait piqué au vif, car j'y allais sérieusement ; mais loin de là, elle devint rouge comme une cerise et finit par balbutier que de tous les jeunes gens qui venaient chez son père, c'était moi qu'elle aimait le mieux. Juge de mon bonheur. Ce soir-là, je m'en retournai chez ma mère le cœur inondé de joie ; toute la nuit, je fis des rêves couleur de rose, et depuis ce jour, mon cher ami, mon amour n'a fait qu'augmenter. Louise continue toujours à être excessivement timide et farouche, mais je ne l'en aime pas moins ; au contraire, je crois que je la préfère pour cela.

« Mais tu vas me dire : quelle folie ! quelle étourderie ! Comment peux-tu t'amuser à faire l'amour lorsque tu n'as pas les moyens de te marier ? – Tout doux, monsieur le futur avocat, monsieur le futur représentant du peuple, monsieur le futur ministre (car je sais que tu veux être tout cela,) je ne prétends pas à tous les honneurs, à toutes les dignités comme vous, mais je tiens à être aussi heureux que possible ; et je ne crois pas comme vous qu'il faille être millionnaire en petit pour prendre femme.

– « Convenu, me diras-tu, mais au moins faut-il avoir quelque chose de plus à offrir que la rente d'un patrimoine de cinquante louis.

– « Je vous arrête encore, mon bon ami. Plaisanterie à part, sais-tu bien, mon cher Gustave, que depuis que je t'ai écrit, c'est-à-dire, depuis la mort de mon pauvre père, je suis devenu grand propriétaire ? Voici comment.

« Du moment que je me vis obligé de subvenir à mes besoins, et surtout lorsque j'eus obtenu de la bouche de ma Louise l'aveu si doux dont je t'ai parlé, je me creusai le cerveau pour trouver un moyen quelconque de m'établir. Après avoir conçu et abandonné une foule de projets plus ou moins réalisables, je me déterminai enfin... devine à quoi ?... à me faire défricheur !... Oui, mon cher, j'ai acheté récemment, et je possède à l'heure qu'il est, dans le canton de

Bristol, un superbe lopin de terre en bois debout qui n'attend que mon bras pour produire des richesses. Avant trois ans peut-être je serai en état de me marier, et dans dix ans, je serai riche, je pourrai aider ma pauvre mère à établir ses plus jeunes enfants, et faire du bien de mille manières. Ne ris pas de moi, mon cher Gustave ; j'en connais qui ont commencé comme moi et qui sont aujourd'hui indépendants. Qui sait si mon lot ne sera pas dans vingt ans le siège d'une grande ville ? Qu'étaient, il y a un demi-siècle, les villes et villages de Toronto, Bytown, Hamilton, London, Brockville, dans le Haut-Canada et la plus grande partie des villes américaines ? Des forêts touffues qu'ont abattues les haches des vaillants défricheurs. Je me sens le courage d'en faire autant.

« Je pars dans une semaine, avec armes et bagages, et la prochaine lettre que je t'écrirai, mon cher Gustave, sera datée de « Villa Rivard » dans le canton de Bristol. »............

VII

Le départ – Pierre Gagnon

Jean Rivard passa dans la compagnie de sa Louise toute la soirée qui précéda le jour de la séparation. Je ne dirai pas les serments de fidélité qui furent prononcés de part et d'autre, dans cette mémorable circonstance. Le seul souvenir laissé par Jean Rivard à sa bien-aimée fut un petit chapelet en grains de corail, béni par notre Saint Père le Pape ; il le lui donna à la condition qu'elle en réciterait chaque jour une dizaine à l'intention des pauvres défricheurs.

En retour, Louise lui fit cadeau d'une petite *Imitation de Jésus-Christ* dont elle s'était déjà servie, ce qui ne la rendait que plus intéressante aux yeux du donataire ; elle l'engagea à en lire quelques pages, au moins tous les dimanches, puisque dans la forêt où il allait s'isoler il serait privé d'adorer Dieu dans son Temple.

La mère Rivard sanglota beaucoup en embrassant son cher enfant. De son côté, Jean aussi avait le cœur gonflé ; il le sentait battre avec force ; mais il dut encore faire un effort sur lui-même et se soumettre avec résignation à ce qu'il appelait le décret de la Providence.

Disons ici, pour répondre à ceux qui pourraient reprocher à Jean Rivard d'abandonner sa mère, que son frère Cadet avait déjà dix-huit ans, et était parfaitement en état de le suppléer à la maison paternelle.

On comprend que nos deux voyageurs ne désiraient se charger d'aucun objet superflu ; aussi tout leur bagage consistait-il en deux sacs de voyage contenant leurs hardes et leur linge le plus indispensable, et quelques articles peu volumineux.

Jean Rivard n'oublia pas cependant son fusil, non qu'il eût un goût bien prononcé pour la chasse, mais dans les lieux sauvages qu'il allait habiter, cet instrument pouvait avoir son utilité, comme il fut reconnu plus d'une fois par la suite.

Dès le lendemain de leur départ de Grandpré, les deux voyageurs couchaient au village de Lacasseville.

Dans la soirée, Jean Rivard eut avec M. Lacasse un long entretien au sujet des choses dont il devait se pourvoir. Il fut un peu déconcerté après que M. Lacasse lui eut fait comprendre qu'il ne pouvait songer à se rendre en voiture à son futur établissement. Il s'était imaginé qu'en abattant quelques arbres par ci par là, le long du sentier de pied qu'il avait déjà parcouru, un cheval pourrait tant bien que mal traîner une voiture chargée jusqu'à sa cabane.

« Ce que vous avez de mieux à faire pour le moment, lui dit M. Lacasse, c'est de vous rendre à pied, avec votre homme, en vous chargeant de provisions pour quelques semaines et de vos ustensiles les plus indispensables. Vous reviendrez plus tard, quand la saison le permettra, chercher les autres effets dont vous ne pourrez absolument vous passer dans le cours de l'hiver. »

Cette perspective n'était guère encourageante, mais Jean Rivard n'était pas homme à reculer sitôt devant les obstacles. Il suivit donc en tous points les conseils de M. Lacasse et partit de bonne heure le lendemain matin.

En le voyant se diriger vers l'entrée de l'épaisse forêt, en compagnie de Pierre Gagnon, tous deux chargés d'énormes sacs, et les bras et les mains embarrassés d'ustensiles et d'outils de diverses sortes, monsieur Lacasse se retournant vers ceux qui l'entouraient :

« Il y a du nerf et du cœur chez ce jeune homme, dit-il ; il réussira, ou je me tromperai fort. »

Et M. Lacasse disait vrai. En s'aventurant hardiment dans les bois pour y vivre loin de toute société, et s'y dévouer au travail le plus dur, Jean Rivard faisait preuve d'un courage plus qu'ordinaire. La bravoure militaire, cette valeur fougueuse qui se manifeste de temps à autre en présence de l'ennemi, sur un champ de bataille, est bien au-dessous, à mon avis, de ce courage calme et froid, de ce courage de tous les instants qui n'a pour stimulants ni les honneurs, ni les dignités, ni la gloire humaine, mais le seul sentiment du devoir et la noble ambition de bien faire.

Jean Rivard n'eut pas à regretter de s'être chargé de son fusil. Tout en accomplissant son trajet à travers les bois, pas moins de trois belles perdrix grises vinrent grossir son sac de provisions de bouche.

Le soir même, au coucher du soleil, les deux voyageurs étaient rendus à leur gîte, sur la propriété de Jean Rivard, au beau milieu du canton de Bristol.

Ce fut le 15 octobre 1843 que Jean Rivard coucha pour la première fois dans son humble cabane.

Nos voyageurs n'eurent pas besoin cette fois d'un coucher moelleux pour goûter les douceurs du sommeil. Étendus sur un lit de branches de sapin, la tête appuyée sur leurs sacs de voyage, et les pieds tournés vers un petit feu que Pierre Gagnon avait eu le soin d'allumer, tous deux reposèrent comme des bienheureux.

Quand Jean Rivard ouvrit les yeux le lendemain matin, Pierre Gagnon était déjà debout. Il avait trouvé le tour d'improviser, avec le seul secours de sa hache, d'une petite tarière et de son couteau, une espèce de table et des sièges temporaires ; et quand son maître fut levé, il l'invita gaiement à déjeuner. Mais puisque nous en sommes sur Pierre Gagnon, disons un mot de ce brave et fidèle serviteur qui fut à la fois l'ami et le premier compagnon des travaux de Jean Rivard.

Pierre Gagnon était un de ces hommes d'une gaieté intarissable, qui conservent leur bonne humeur dans les circonstances les plus difficiles, et semblent insensibles aux fatigues corporelles. Ses propos comiques, son gros rire jovial, souvent à propos de rien, servaient à égayer Jean Rivard. Il s'endormait le soir en badinant, et se levait le matin en chantant. Il savait par cœur toutes les chansons du pays, depuis la « Claire Fontaine » et « Par derrièr' chez ma tante » jusqu'aux chansons modernes, et les chantait à qui voulait l'entendre, souvent même sans qu'on l'y invitât. Son répertoire était inépuisable : chansons d'amour, chants bachiques, guerriers, patriotiques, il en avait pour tous les goûts. Il pouvait de plus raconter toutes les histoires de loups-garous et de revenants qui se transmettent d'une génération à l'autre parmi les populations des campagnes. Il récitait de mémoire, sans en omettre une syllabe, l'éloge funèbre de Michel Morin, bedeau de l'église de Beauséjour, le Contrat de mariage entre Jean Couché debout et Jacqueline Doucette, etc., et nombre d'autres pièces et contes apportés de France par nos pères, et conservés jusqu'à ce jour dans la mémoire des enfants du peuple.

On peut dire que pour Jean Rivard, Pierre Gagnon était l'homme de la circonstance. Aussi l'appelait-il complaisamment son intendant. Pierre cumulait toutes les fonctions de l'établissement ; il avait la garde des provisions, était cuisinier, fournissait la maison de bois de chauffage, était tour-à-tour forgeron, meublier, menuisier ; mais comme il remplissait toutes ces diverses fonctions gratui-tement, et pour ainsi dire à temps perdu, on ne pouvait l'accuser de cupidité, et jamais fonctionnaire ne donna une satisfaction plus complète.

VIII

Les défrichements

Jean Rivard se rappelait le précepte : ne remets pas à demain ce que tu peux faire aujourd'hui : aussi à peine l'Aurore aux doigts de rose avait-elle ouvert les portes de l'Orient, comme dirait le bon Homère, que nos deux défricheurs étaient déjà à l'œuvre.

Ils commencèrent par éclaircir et nettoyer les alentours de leur cabane ; en quelques jours, les arbrisseaux avaient été coupés ou arrachés de terre, les « corps morts » avaient été coupés en longueurs de huit à dix pieds, réunis en tas et brûlés ; les grands arbres seuls restaient debout, trônant ça et là, dans leur superbe majesté.

Les grands arbres de la forêt offrent aux regards quelque chose de sublime. Rien ne présente une plus belle image de la fierté, de la dignité royale.

Cette vue rappelle involontairement à l'esprit la belle comparaison du prophète à l'égard des superbes :

> *Pareils aux cèdres du Liban*
>
> *Ils cachent dans les cieux,*
>
> *Leurs fronts audacieux.*

On y voyait l'orme blanc si remarquable par l'ombrage protecteur qu'il offre au travailleur. À une vingtaine de pieds du tronc, quatre ou cinq rameaux s'élancent en divergeant jusqu'à une hauteur de soixante à soixante-dix pieds, et là s'arrêtent pour se pencher vers la terre, formant avec leur riche feuillage un immense parasol. Quelques-uns de ces arbres s'élèvent à une hauteur de cent pieds. Isolés, ils apparaissent dans toute leur grandeur, et ce sont sans contredit les arbres les plus magnifiques de la forêt.

On y voyait aussi le frêne blanc, si remarquable par sa blanche écorce, la beauté de son feuillage, et l'excellente qualité de son bois qui sert à une multitude d'usage, – le hêtre à l'écorce grisâtre, que la foudre ne frappe jamais et dont les branches offrent aussi par leur gracieux feuillage et leur attitude horizontale, un abri recherché, – le tilleul ou bois blanc qui croît à une hauteur de plus de quatre-vingt pieds, et sert à la fabrication d'un grand nombre d'objets utiles, – le merisier à l'écorce aromatique, et dont le bois égale en beauté l'acajou, – le sapin, au feuillage toujours vert, qui s'élève vers le ciel en forme pyramidale, – et enfin le pin, qui s'élance jusqu'à cent cinquante pieds, et que sa forme gigantesque a fait surnommer le Roi de la Forêt. Ces deux derniers cependant ne se trouvaient qu'en très petit nombre sur la propriété de Jean Rivard. Nous parlerons plus loin d'un magnifique bosquet d'érables situé à quelque distance de son habitation.

On avouera qu'il fallait, sinon du courage, au moins de bons bras pour s'attaquer à ces géants de la forêt, qui ne succombaient qu'avec lenteur sous les coups répétés de la hache. Nos bûcherons commençaient par jeter un coup d'œil sur les arbres qu'ils destinaient à la destruction, afin de s'assurer dans quelle direction ils penchaient ; car tout arbre, même le plus fier, tend à pencher d'un côté plutôt que d'un autre, et c'est dans cette direction que doit être déterminée sa chute. Du matin jusqu'au soir nos deux défricheurs faisaient résonner les bois du son de cette utile instrument qu'on pourrait à bon droit regarder parmi nous comme l'emblème et l'outil de la civilisation. Les oiseaux effrayés s'enfuyaient de ces retraites naguère si paisibles. Quand le grand arbre de cent pieds de hauteur, atteint au cœur par le taillant de l'acier meurtrier, annonçait qu'il allait succomber, il y avait comme une seconde de silence solennel, puis un craquement terrible causé par la chute du colosse. Le sol faisait entendre un sourd mugissement.

De même que dans le monde politique, financier, commercial ou industriel, la chute des grands entraîne la ruine d'une multitude de personnages subalternes, de même la chute des grands arbres fait périr une multitude d'arbres moins forts, dont les uns sont décapités ou brisés par le milieu du corps, et les autres complètement arrachés de terre.

À peine nos défricheurs avaient-ils porté sur leur ennemi terrassé un regard de superbe satisfaction qu'ils se mettaient en frais de le dépecer. En quelques instants, l'arbre était dépouillé de ses branches, puis coupé en diverses parties, qui restaient éparses sur le sol, en attendant le supplice du feu.

Et les mêmes travaux recommençaient chaque jour.

Durant la première semaine, Jean Rivard, qui jusqu'alors n'avait guère connu ce que c'était que le travail physique, se sentait à la fin de chaque journée tellement accablé de fatigue, tellement harassé, qu'il craignait de ne pouvoir tenir à cette vie de labeur ; mais chaque nuit il reposait si bien, enveloppé dans une peau de buffle, et couché sur le lit rustique dressé par Pierre Gagnon au fond de leur cabane, qu'il se trouvait le lendemain tout refait, tout restauré, et près à reprendre sa hache. Peu à peu ses muscles, devenus plus souples et en même temps plus énergiques, s'habituèrent à ce violent exercice ; bientôt même, grâce à l'air si salubre de la forêt, et à un appétit dont il s'étonnait lui-même, ses forces augmentèrent d'une manière étonnante, et ce travail des bras d'abord si dur, si pénible, devint pour lui comme une espèce de volupté.

Au milieu de ses travaux, Jean Rivard goûtait aussi quelquefois de douces jouissances. Il avait une âme naturellement sensible aux beautés de la nature, et les spectacles grandioses, comme les levers et les couchers du soleil, les magnifiques points de vue, les paysages agrestes, étaient pour lui autant de sujet d'extase.

Disons aussi que l'automne en Canada est souvent la plus belle saison de l'année, et dans les bois plus que partout ailleurs ; à cette époque les feuilles changent de couleur ; ici, elles offrent une teinte pourpre ou dorée, là, la couleur écarlate ; partout le feuillage est d'une richesse, d'une magnificence que rien n'égale.

Les travaux de déboisement ne furent suspendus qu'une seule journée, vers le milieu de novembre, pour permettre à nos défricheurs de retourner avant l'hiver au village de Lacasseville, y chercher de nouvelles provisions et divers articles de ménage dont l'absence se faisait grandement sentir dans le nouvel établissement. Ils partirent un samedi vers le soir, et ne revinrent que le lundi. Pour éviter un nouveau trajet, notre héros, suivant encore en cela les conseils de M. Lacasse, loua cette fois les services de deux hommes robustes, qui l'aidèrent à transporter les effets les plus lourds à travers la forêt.

Au nombre de ces effets était un poêle, article fort important, surtout à l'approche de l'hiver, et dont Pierre Gagnon en sa qualité de cuisinier avait déjà plus d'une fois regretté l'absence. Jusque-là nos défricheurs avaient été réduits à faire cuire leur pain sous la cendre.

Jean Rivard n'eut pas d'ailleurs à regretter ce petit voyage à Lacasseville, car une lettre de son ami Gustave Charmenil l'y attendait depuis plusieurs jours ; elle était ainsi conçue :

« Mon cher ami,

« J'ai reçu ta lettre où tu m'annonces que tu te fais défricheur. Tu parais croire que ton projet va rencontrer en moi un adversaire acharné ; loin de là, mon cher, je t'avouerai franchement que si je n'avais pas déjà fait deux années de cléricature, et surtout si j'avais comme toi cinquante louis à ma disposition, je prendrais peut-être aussi la direction des bois, malgré mes goûts prononcés pour la vie spéculative et intellectuelle. Tu ne saurais croire combien je suis dégoûté du monde. Je te félicite de tout mon cœur de n'avoir pas suivi mon exemple. Si je te racontais toutes mes misères, tous mes ennuis, tous mes déboires depuis le jour où j'ai quitté le collège, tu me plaindrais sincèrement, tu en verserais des larmes peut-être, car je connais ton bon cœur. Ah ! mon cher ami, ces heures délicieuses que nous avons passées ensemble, à gambader à travers les bosquets, à nous promener dans les allées du grand jardin, à converser sur le gazon ou sous les branches des arbres, nos excursions les jours de congé dans les vertes campagnes, sur les rivages du lac ou sur les bords pittoresques de la rivière, tous ces plaisirs si doux me reviennent souvent à la mémoire comme pour contraster avec ma situation présente. Te le dirai-je, mon bon ami ? ce bel avenir que je rêvais, cette glorieuse carrière que je devais parcourir, cette fortune, ces honneurs, ces dignités que je devais conquérir, tout cela est maintenant relégué dans le domaine des illusions. Sais-tu à quoi ont tendu tous mes efforts, toutes les ressources de mon esprit, depuis deux ans ? À trouver les moyens de ne pas mourir de faim. C'est bien prosaïque, n'est-ce pas ? C'est pourtant là, mon cher ami, le sort de la plupart des jeunes gens qui, après leurs cours d'études, sont lancés dans les grandes villes, sans argent, sans amis, sans protecteurs, et sans expérience de la vie du monde. Ah ! il faut bien bon gré mal gré dire adieu à la poésie, aux jouissances intellectuelles, aux plaisirs de l'imagination, et, ce qui est plus pénible encore, aux plaisirs du cœur. Ce que tu me racontes de tes amours, des charmes ingénus de ta Louise, de votre attachement avoué l'un pour l'autre, de ton espoir d'en faire avant peu ta compagne pour la vie, tout cela est bien propre à me faire envier ton sort. Oui, je sais que tu seras heureux, comme tu mérites de l'être : quoique moins âgé que moi de plusieurs années, tu goûteras tout le bonheur d'une tendresse partagée, d'une union durable, quand moi j'en serai encore à soupirer... Tu es peut-être curieux de savoir si depuis deux ans que je suis dans le monde je n'ai pas contracté un attachement quelconque ? Je n'imiterais pas ta franchise si je te disais que non ; mais, mon cher, le sentiment que j'éprouve ne saurait être partagé puisque la personne que j'aime ne le sait pas et ne le saura jamais. Imagine-toi, que dès les premiers temps de mon séjour ici, je voyais tous les dimanches, à l'église, tout près du banc où j'entendais la messe, une jeune fille de dix-huit à vingt ans dont la figure me rappelait involontairement tout ce que j'avais lu et rêvé de la figure des anges : des traits de la plus grande délicatesse, un teint de rose, de beaux grands yeux noirs, une petite taille mignonne, de petites mains d'enfant, et comme diraient les romanciers, des lèvres de carmin, un cou d'albâtre, des dents d'ivoire, etc. Mais son maintien réservé, sa piété, (car durant toute la messe on ne pouvait lui voir tourner la tête, et son esprit était évidemment en rapport avec les chœurs célestes et les vierges de l'empyrée,) excitèrent mon admiration encore plus que sa beauté. On m'assure que parmi les jeunes demoiselles qui vont à l'église le dimanche quelques-unes ont en vue de s'y faire voir et d'y déployer le luxe de leurs toilettes ; mais ce n'était assurément pas le cas pour ma belle inconnue. Tu ne me croiras peut-être pas quand je te dirai que sa présence m'inspirait de la dévotion. Je ne m'imaginai pas d'abord que ce sentiment d'admiration et de respect que j'éprouvais pût se changer en amour ; mais je reconnus plus tard mon erreur. Le besoin de l'apercevoir tous les dimanches à l'église devint bientôt si fort que son absence me désappointait et me rendait tout triste. Lorsqu'elle sortait de l'église je la suivais de loin pour le seul plaisir de la voir marcher et de toucher de mon pied la pierre que le sien avait touchée. Le suprême bonheur pour moi eût été, je ne dis pas d'être aimé d'elle, mais d'avoir seulement le plus petit espoir de l'être un jour. Ma vie passée avec elle, c'eût été le paradis sur la terre. Mais ce bonheur je ne le rêvais même pas. Pourquoi me serais-je laissé aller à ce songe enchanteur, moi, pauvre jeune homme qui ne pouvais avant dix ans songer à m'établir ? D'ici là, me disais-je, elle se mariera : elle fera le bonheur de quelque jeune homme plus fortuné que moi ; elle ne saura jamais que le pauvre étudiant qui entendait la messe tout près d'elle à l'église fut celui qui l'aima le premier et de l'amour le plus sincère. Je n'ai pas honte, mon cher ami, de te faire cette confidence, car j'ai la conscience que le sentiment que j'éprouve n'a rien de répréhensible. Tu trouves sans doute étrange que je n'aie pas cherché, sinon à faire sa connaissance, du moins à savoir son nom, le nom de sa famille ? C'est pourtant bien le cas, mon cher ami ; non seulement je ne l'ai pas cherché, mais j'ai soigneusement évité de faire la moindre question à cet égard ; tu es même le seul à qui j'aie jamais fait cette confidence. Je préfère ignorer son nom. Que veux-tu ! c'est bien triste, mais ce n'en est pas moins vrai, les plaisirs du cœur me sont interdits et me le seront encore pendant les plus belles années de ma vie...

« Ô heureux, mille fois heureux le fils du laboureur qui, satisfait du peu que la providence lui a départi, s'efforce de l'accroître par son travail et son industrie, se marie, se voit revivre dans ses enfants, et passe ainsi des jours paisibles, exempts de tous les soucis de la vanité, sous les ailes de l'amour et de la religion. C'est une bien vieille pensée que celle-là, n'est-ce pas ? elle est toujours vraie cependant. Si tu savais, mon cher ami, combien de fois je répète le vers de Virgile :

Heureux l'homme des champs, s'il savait son bonheur !

« Ce qui me console un peu, mon cher ami, c'est que toi au moins tu seras heureux : tu es tenace et courageux ; tu réussiras, j'en ai la certitude. Donne-moi de tes nouvelles de temps à autre et sois sûr que personne ne prend plus d'intérêt que moi à tes succès comme défricheur, et à ton bonheur futur comme époux. »

« Ton ami dévoué,

« Gustave Charmenil. »

Cette lettre causa à notre héros un mélange de tristesse et de plaisir. Il aimait sincèrement son ancien camarade et tout son désir était de le savoir heureux. Le ton de mélancolie qui régnait dans sa lettre, les regrets qu'il laissait échapper, faisaient mal au cœur de

Jean Rivard. D'un autre côté, la comparaison qu'il y faisait de leurs situations respectives servait à retremper son courage et à l'affermir plus que jamais dans la résolution qu'il avait prise.

Dans les derniers jours de l'automne, vers l'époque où la neige allait bientôt couvrir la terre de son blanc manteau, nos deux défricheurs s'occupèrent à sarcler la forêt, c'est-à-dire, à faire disparaître tous les jeunes arbres qui devaient être soit déracinés soit coupés près du sol ; ils purent ainsi nettoyer une étendue de dix à douze arpents autour de leur cabane, ne laissant debout que les grands arbres qui pouvaient être facilement abattus durant les mois d'hiver.

Ce n'était pas chose facile pourtant que de faire disparaître de cette surface les végétaux géants qui la couvraient encore, et qu'il fallait couper à une hauteur d'environ trois pieds du sol. Plusieurs de ces arbres étaient, comme on l'a déjà dit, d'une dimension énorme, quelques-uns n'ayant pas moins de cinq à six pieds de diamètre. Ajoutons qu'il fallait travailler au milieu des neiges et que souvent un froid intense obligeait bon gré mal gré nos vaillants défricheurs à suspendre leurs travaux.

Néanmoins, et en dépit de tous les obstacles, dès le commencement du mois de mars suivant, dix arpents de forêts avaient été abattus, ce qui, joint aux cinq arpents nettoyés dans le cours de l'automne précédent, formait quinze arpents de terre nouvelle que Jean Rivard se proposait d'ensemencer au printemps. Les grands arbres étendus sans vie sur la terre froide ou sur un lit de neige avaient été dépouillés de leurs branches et coupés en plusieurs parties. Il ne restait plus qu'à réunir en monceaux, arbres, branches, broussailles, arbustes, puis d'y mettre le feu ; et cette opération, que les colons appellent dans leur langage « tasser ou relever l'abattis » ne pouvant se faire qu'après la fonte des neiges, nos défricheurs furent forcés de laisser reposer leurs haches. Ils purent cependant employer les quelques semaines qui leur restaient d'une manière assez lucrative et comparativement fort agréable, comme on le verra par la suite.

Mais avant de passer plus loin, disons un mot des heures de loisir et des heures d'ennui qui furent le partage de nos défricheurs durant le premier long hiver qu'ils passèrent au milieu des bois.

IX

Les heures de loisir et les heures d'ennui

Le lecteur s'est déjà sans doute demandé plus d'une fois comment nos défricheurs passaient leurs longues soirées d'hiver ?

D'abord il ne faut pas oublier que jamais Jean Rivard ne laissait écouler une journée sans écrire. Il tenait un journal régulier de ses opérations et notait avec un soin minutieux toutes les observations qu'il avait occasion de faire durant ses heures d'activité. Quelquefois même, laissant errer son imagination, il jetait sur le papier sans ordre et sans suite toutes les pensées qui lui traversaient le cerveau. Pas n'est besoin de dire que mademoiselle Louise Routier était pour une large part dans cette dernière partie du journal de Jean Rivard.

Pendant que Jean Rivard s'occupait ainsi, son compagnon, qui, à son grand regret, ne savait ni lire ni écrire, s'amusait à façonner, à l'aide de sa tarière, de sa hache et de son couteau, divers petits meubles et ustensiles qui presque toujours trouvaient leur emploi immédiat.

Pierre Gagnon, sans être amoureux à la façon de son jeune maître, avait aussi contracté un vif attachement pour un charmant petit écureuil qu'il élevait avec tous les soins d'une mère pour son enfant. La manière dont ce petit animal était tombé entre ses mains est assez singulière. Peu de temps après son arrivée dans la forêt, Pierre avait aperçu à une courte distance de la cabane, une écureuil femelle descendant d'un arbre avec ses deux petits qu'elle avait déposés sur les feuilles mortes, dans le but sans doute de leur apprendre à jouer et à gambader : notre homme s'étant approché pour être témoin de cette scène d'éducation domestique, la mère effrayée s'était aussitôt emparé d'un de ses petits et l'avait porté dans la plus proche enfourchure de l'arbre, mais avant qu'elle fut revenue pour sauver son autre enfant, Pierre s'en était emparé et l'avait emporté à l'habitation, malgré les cris d'indignation et de détresse de la pauvre mère.

On ne saurait croire tout le soin que se donna notre rustique défricheur pour élever et civiliser ce gentil petit animal. Il fit pour lui une provision de fruits, de noisettes, de faînes et de glands. Durant les premiers jours il écalait lui-même ses noisettes et le faisait manger avec une sollicitude toute maternelle. Peu à peu le petit écureuil put non seulement manger sans l'aide de son maître, mais il n'hésitait pas à se servir lui-même et commettait toutes sortes d'espiègleries. Souvent pendant le repas de Pierre Gagnon il sautait lestement sur son épaule et venait dérober dans son plat ce qu'il trouvait à sa convenance. Il était si docile, si candide, si éveillé, si alerte, ses petits yeux brillants exprimaient tant d'intelligence, il était d'une propreté si exquise, et paraissait si beau, quand s'asseyant sur ses pieds de derrière il relevait sa queue vers sa tête, que Pierre Gagnon passait des heures à l'admirer, à jouer avec lui, à caresser son pelage soyeux. S'il arrivait que le petit animal fût moins gai, moins turbulent qu'à l'ordinaire, ou qu'il refusât de manger, notre homme en concevait la plus vive inquiétude et n'avait de repos que lorsqu'il le voyait reprendre sa vivacité accoutumée.

Les jeux animés du petit prisonnier intéressaient aussi Jean Rivard et lui apportaient de temps en temps des distractions dont il avait besoin. Il était d'ailleurs aussi familier avec le maître qu'avec le serviteur et sautait sans façon des épaules de l'un sur la tête de l'autre. Si Pierre Gagnon avait pu écrire, il eût composé un volume sur les faits et gestes de son petit ami.

Mais en parlant des distractions de nos défricheurs il en est une que je ne dois pas omettre. Jean Rivard avait apporté avec lui quatre volumes : c'étaient d'abord la petite *Imitation de Jésus-Christ,* présent de sa Louise, puis *les Aventures de Don Quichotte de la Manche,* celles de *Robinson Crusoé,* et une *Histoire populaire de Napoléon* qu'il avait eue en prix au collège. Ces livres ne contribuèrent pas peu à égayer les loisirs de nos anachorètes. On peut même dire qu'ils servirent en quelque sorte à relever leurs esprits et à ranimer leur courage.

L'*Imitation de Jésus-Christ* était le livre des dimanches et des fêtes. Les trois autres volumes servaient aux lectures de la semaine.

Les histoires merveilleuses de Robinson Crusoé, de Don Quichotte de la Manche et de Napoléon intéressaient vivement Pierre Gagnon. Jean Rivard lisait tout haut le soir, de sept heures à neuf heures, mais souvent, cédant aux supplications de son compagnon de solitude, il prolongeait sa lecture bien avant dans la nuit.

L'histoire de Robinson Crusoé, jeté dans son île déserte, obligé de tirer de la nature seule, et indépendamment de tout secours humain, ses moyens de subsistance, avait avec celle de nos défricheurs une analogie que Pierre Gagnon saisissait facilement.

Cet homme, comme beaucoup d'autres de sa condition, était doué d'une mémoire prodigieuse, et Jean Rivard était souvent étonné de l'entendre, au milieu de leurs travaux de défrichement, répéter presque mot pour mot de longs passages qu'il avait lus la veille. Ce qu'il aimait à répéter le plus volontiers, c'étaient les passages qui prêtaient à rire ; les aventures de l'infortuné Don Quichotte, Chevalier de la triste figure, l'égayaient jusqu'à le faire pleurer.

Il trouvait l'occasion de faire à chaque instant l'application des événements romanesques ou historiques racontés dans ces livres simples et à la portée de tous les esprits, aux petits incidents de leur humble existence, en mélangeant toutefois sans scrupule l'histoire et le roman. Lui-même ne s'appelait plus que Sancho Panza, et ne voulant pas par respect pour son maître l'appeler Don Quichotte, il l'appelait indifféremment l'Empereur, ou Sa Majesté, ou le Petit Caporal. En dépit de la chronologie, tous deux étaient armés en guerre, marchant ensemble contre l'ennemi commun ; cet ennemi, c'était la forêt qui les entourait, et à travers laquelle les deux vaillants guerriers devaient se frayer un passage. Les travaux de nos défricheurs n'étaient plus autre chose que des batailles sanglantes ; chaque soir on faisait le relevé du nombre des morts et on discutait le plan de la campagne du lendemain. Les morts, c'étaient les arbres abattus dans le cours de la journée ; les plus hauts étaient des généraux, des officiers, les arbrisseaux n'étaient que de la chair à canon.

Une lettre que Jean Rivard écrivait à Gustave Charmenil, un mois après son arrivée dans la forêt, montre qu'il conservait encore toute sa gaieté habituelle.

« Je vais te donner, y disait-il, une courte description de mon établissement. Je ne te parlerai pas des routes qui y conduisent ; elles sont bordées d'arbres d'un bout à l'autre ; toutefois je ne te conseillerais pas d'y venir en carrosse. Plus tard je ne dis pas non. Quant à ma résidence, ou comme on dirait dans le style citadin, à

Villa Rivard, elle est située sur une charmante petite colline ; elle est en outre ombragée de tous côtés par d'immenses bosquets des plus beaux arbres du monde. Les murailles sont faites de pièces de bois arrondis par la nature ; les interstices sont soigneusement remplis d'étoupe, ce qui empêche la neige et la pluie de pénétrer à l'intérieur. Le plafond n'est pas encore plâtré, et le parquet est à l'antique, justement comme du temps d'Homère. C'est délicieux. Le salon, la salle à dîner, la cuisine, les chambres à coucher ne forment qu'un seul et même appartement. Quant à l'ameublement, je ne t'en parle pas ; il est encore, s'il est possible, d'un goût plus primitif. Toi qui es poète, mon cher Gustave, ne feras-tu pas mon épopée un jour ?... »

Et il continuait ainsi ; on eût dit que la bonne humeur de Pierre Gagnon servait à entretenir celle de son jeune maître.

Lorsque, au commencement de l'hiver, une légère couche de neige vint couvrir la terre et les branches des arbres, le changement de scène le réjouit ; la terre lui apparut comme une jeune fille qui laisse de côté ses vêtements sombres pour se parer de sa robe blanche. Aux rayons du soleil, l'éclat de la neige éblouissait la vue, et quand la froidure ne se faisait pas sentir avec trop d'intensité, et que le calme régnait dans l'atmosphère, un air de gaieté semblait se répandre dans toute la forêt. Un silence majestueux, qui n'était interrompu que par les flocons de neige tombant de temps à temps de la cime des arbres, ajoutait à la beauté du spectacle. Jean Rivard contemplait cette scène avec ravissement.

Un autre spectacle procurait encore à notre héros des moments de bonheur et d'extase : c'était celui d'un ouragan de neige. Il n'était jamais plus intéressé, plus heureux que, lorsque la neige, poussée par un fort vent, tombait à gros flocons, et que les arbres de la forêt, balançant leurs cimes agitées, faisaient entendre au loin comme le bruit d'une mer en furie. Il ne pouvait alors rester assis dans sa cabane et mettant de côté ses livres ou ses outils, il sortait en plein vent pour contempler ce spectacle des éléments déchaînés ; il se sentait comme en contact avec la nature et son auteur.

Il ne faut pas croire cependant que toutes les heures de Jean Rivard s'écoulassent sans ennui. Non, en dépit de toute sa philosophie, il eut, disons-le, des moments de sombre tristesse.

La chute des feuilles, le départ des oiseaux, les vents sombres de la fin de novembre furent la cause de ses premières heures de mélancolie. Puis, lorsque plus tard un ciel gris enveloppa la forêt comme d'un vêtement de deuil, et qu'un vent du nord ou du nord-est, soufflant à travers les branches, vint répandre dans l'atmosphère sa froidure glaciale, une tristesse insurmontable s'emparait parfois de son âme, sa solitude lui semblait un exil, sa cabane un tombeau. Les grosses gaietés de Pierre Gagnon ne le faisaient plus même sourire. Son esprit s'envolait alors à Grandpré, au foyer paternel ; il se représentait auprès de sa bonne mère, entouré de ses frères et sœurs, et quelquefois une larme involontaire venait mouiller sa paupière.

C'était surtout le dimanche et les jours de fête que son isolement lui pesait le plus. Habitué à la vie si joyeuse des campagnes canadiennes, où à l'époque dont nous parlons, les familles passaient souvent une partie de l'hiver à se visiter, à danser, chanter, fêter ; les jeunes gens à promener leurs blondes, les hommes mariés à étaler par les chemins leurs beaux attelages, leurs beaux chevaux, leurs belles *carrioles* ; n'ayant jusqu'alors quitté la maison paternelle que pour aller passer quelques années au collège en compagnie de joyeux camarades ; accoutumé depuis son berceau aux soins attentifs de sa bonne mère , – puis se voir tout à coup, lui, jeune homme de dix-neuf ans, emprisonné pour ainsi dire au milieu d'une forêt, à trois lieues de toute habitation humaine, n'ayant pour compagnon qu'un seul homme qui n'était même ni de son âge, ni de son éducation, – c'était, on l'avouera, plus qu'il ne fallait pour décourager un homme d'une trempe ordinaire.

On comprend aussi pourquoi les dimanches mettaient encore l'esprit de Jean Rivard à une plus rude épreuve que les autres jours. D'abord, le repos qu'il était forcé de subir laissait pleine liberté à son imagination qui en profitait pour transporter son homme à l'église de Grandpré ; il y voyait la vaste nef remplie de toute la population de la paroisse, hommes, femmes, enfants, qu'il pouvait nommer tous ; il voyait dans le sanctuaire les chantres, les jeunes enfants de chœur, avec leurs surplis blancs comme la neige, puis, au milieu de l'autel le prêtre offrant le sacrifice ; il le suivait dans la chaire où il entendait la publication des bans, le prône et le sermon ; puis au sortir de l'église il se retrouvait au milieu de toute cette population unie comme une seule et grande famille, au milieu d'amis se serrant la main et, tout en allumant leurs pipes, s'enquérant de la santé des absents. Il lui semblait entendre le carillon des cloches sonnant le Sanctus ou l'Angélus, et, après la messe, le son argentin des clochettes suspendues au poitrail des centaines de chevaux qui reprenaient gaiement le chemin de la demeure.

Les petites veillées du dimanche chez le père Routier ne manquaient pas non plus de se présenter à sa vive imagination. Avec quel bonheur il eût échangé une des soirées monotones passées dans sa cabane enfumée, en compagnie de Pierre Gagnon, contre une heure écoulée auprès de sa Louise !

Pour Pierre Gagnon, lorsqu'il s'était bien convaincu qu'il fallait renoncer à égayer son compagnon de solitude, il se mettait à chanter son répertoire de complaintes. Mais son plus grand bonheur, son plus beau triomphe à ce brave serviteur était de parvenir à faire naître un sourire sur les lèvres de son jeune maître.

Après tout, ces moments de mélancolie n'étaient que passagers. S'ils survenaient durant les autres jours de la semaine, Jean Rivard en faisait bientôt justice par un travail violent. D'ailleurs, on sait déjà que Jean Rivard n'était pas homme à se laisser abattre. Quoique doué d'une excessive sensibilité, ce qui dominait dans sa nature c'était le courage et la force de volonté. Jamais, au milieu même de ses plus sombres tristesses, la pensée ne lui vint de retourner chez sa mère. Il fut toujours fermement déterminé à poursuivre l'exécution de son dessein, dût-il en mourir à la peine.

Enfin, vers le milieu de mars, le froid commença à diminuer d'une manière sensible, les rayons du soleil devinrent plus chauds, la neige baissait à vue d'œil et Jean Rivard put songer à mettre à exécution le projet formé par lui dès l'automne précédent et qui lui souriait depuis plusieurs mois, celui de faire du sucre d'érable.

X

La sucrerie

À l'une des extrémités de la propriété de Jean Rivard se trouvait, dans un rayon peu étendu, un bosquet d'environ deux cents érables ; il avait dès le commencement résolu d'y établir une sucrerie.

Au lieu d'immoler sous les coups de la hache ces superbes vétérans de la forêt, il valait mieux, disait Pierre, les faire prisonniers et en tirer la plus forte rançon possible.

Nos défricheurs improvisèrent donc au milieu du bosquet une petite cabane temporaire, et après quelques jours employés à compléter leur assortiment de *goudrelles*, ou *goudilles*, d'auges, *casseaux* et autres vases nécessaires, dont la plus grande partie avait été préparée durant les longues veillées de l'hiver, tous deux, un bon matin, par un temps clair et un soleil brillant, s'attaquèrent à leurs deux cents érables.

Jean Rivard, armé de sa hache, pratiquait une légère entaille dans l'écorce et l'aubier de l'arbre, à trois ou quatre pieds du sol, et Pierre, armé de sa gouge, fichait de suite au-dessous de l'entaille la petite goudrelle de bois, de manière à ce qu'elle pût recevoir l'eau sucrée suintant de l'arbre et la laisser tomber goutte à goutte dans l'auge placée directement au-dessous.

Dès les premiers jours, la température étant favorable à l'écoulement de la sève, nos défricheurs purent en recueillir assez pour faire une bonne *brassée* de sucre. Ce fut un jour de réjouissance. La chaudière lavée fut suspendue à une crémaillère, sur un grand feu alimenté par des éclats de cèdre, puis remplie aux trois quarts d'eau d'érable destinée à être transformée en sucre. Il ne s'agissait que d'entretenir le feu jusqu'à parfaite ébullition du liquide, d'ajouter de temps en temps à la sève déjà bouillonnante quelques gallons de sève nouvelle, de veiller enfin, avec une attention continue, aux progrès de l'opération : tâche facile et douce pour nos rudes travailleurs.

Ce fut d'abord Pierre Gagnon qui se chargea de ces soins, ayant à initier son jeune maître à tous les détails de l'intéressante industrie. Aucune des phases de l'opération ne passa inaperçue. Au bout de quelques heures, Pierre Gagnon allant plonger dans la chaudière une écuelle de bois, vint avec sa gaieté ordinaire la présenter à Jean Rivard, l'invitant à se faire une *trempette*, en y émiettant du pain, invitation que ce dernier se garda bien de refuser.

Pendant que nos deux sucriers savouraient ainsi leur *trempette*, la chaudière continuait à bouillir, et l'eau s'épaississait à vue d'œil. Bientôt Pierre Gagnon, y plongeant sa *micouenne*, l'en retira remplie d'un sirop doré presqu'aussi épais que le miel.

Puis vint le tour de la *tire*. Notre homme, prenant un lit de neige, en couvrit la surface d'une couche de ce sirop devenu presque solide, et qui en se refroidissant forme la délicieuse sucrerie que les Canadiens ont baptisée du nom de tire ; sucrerie d'un goût beaucoup plus fin et plus délicat que celle qui se fabrique avec le sirop de canne ordinaire.

La fabrication de la *tire* qui s'accomplit au moyen de la manipulation de ce sirop refroidi, est presque invariablement une occasion de réjouissance.

On badine, on folâtre, on y chante, on y rit,
La gaieté fait sortir les bons mots de l'esprit.

C'est à l'époque de la Ste. Catherine, et durant la saison du sucre, dans les fêtes qui se donnent aux sucreries situées dans le voisinage des villes et des villages, que le sirop se *tire* ou *s'étire* avec le plus d'entrain et de gaieté.

Nos défricheurs-sucriers durent se contenter pour cette première année, d'un pique-nique à deux ; mais il va sans dire que Pierre Gagnon fut à lui seul gai comme quatre.

Cependant, la chaudière continuait à bouillir,

Et de la densité suivant les promptes lois,
La sève qui naguère était au sein du bois
En un sucre solide a changé sa substance.

Pierre Gagnon s'aperçut, aux granulations du sirop, que l'opération était à sa fin et il annonça par un hourra qui retentit dans toute la forêt, que le sucre était cuit ! La chaudière fut aussitôt enlevée du brasier et déposée sur des branches de sapin où on la laissa refroidir lentement, tout en agitant et brassant le contenu au moyen d'une palette ou *mouvette* de bois ; puis le sucre fut vidé dans des moules préparés d'avance.

On en fit sortir, quelques moments après, plusieurs beaux pains de sucre, d'un grain pur et clair.

Ce résultat fit grandement plaisir à Jean Rivard. Outre qu'il était assez friand de sucre d'érable, – défaut partagé d'ailleurs par un grand nombre de jolies bouches, – il éprouvait une satisfaction d'un tout autre genre : il se trouvait, à compter de ce jour, au nombre des producteurs nationaux ; il venait d'ajouter à la richesse de son pays, en tirant du sein des arbres un objet d'utilité publique qui sans son travail y serait resté enfoui. C'était peut-être la plus douce satisfaction qu'il eût ressentie depuis son arrivée dans la forêt. Il regardait ses beaux pains de sucre avec plus de complaisance que n'en met le marchand à contempler les riches étoffes étalées sur les tablettes de sa boutique.

Du moment que Jean Rivard fut en état de se charger de la surveillance de la chaudière, Pierre Gagnon consacrait la plus grande partie de son temps à courir d'érable en érable pour recueillir l'eau qui découlait chaque jour dans les auges. C'était une rude besogne dans une sucrerie non encore organisée et où tous les transports devaient se faire à bras.

Pierre cependant s'acquittait de cette tâche avec sa gaieté ordinaire, et c'était souvent au moment où son maître le croyait épuisé de fatigue qu'il l'amusait le plus par ses propos comiques et ses rires à gorge déployée.

Au bout d'une semaine, tous deux s'acquittaient de leurs tâches respectives avec assez de promptitude ; ils pouvaient même y mettre une espèce de nonchalance, et jouir de certains moments de loisir qu'ils passaient à chasser l'écureuil ou la perdrix, ou à rêver, au fond de leur cabane, que le soleil réchauffait de ses rayons printaniers.

– « Sais-tu bien, disait un jour Jean Rivard à son homme qu'il voyait occupé à déguster une énorme *trempette*, sais-tu bien que nous ne sommes pas, après tout, de ces plus malheureux !

– Je le crois certes bien, répondit Pierre, et je ne changerais pas ma charge d'Intendant pour celle de Sancho Panza, ni pour celle de Vendredi, ni pour celle de tous les Maréchaux de France.

– Il nous manque pourtant quelque chose...

– Ah ! pour ça, oui, c'est vrai, et ça me vient toujours à l'idée quand je vous vois *jongler* comme vous faisiez tout à l'heure.

– Que veux-tu dire ?

– Oh ! pardi, ça n'est pas difficile à deviner ; ce qui nous manque pour être heureux... comment donc ? eh ! c'est clair, c'est... la belle Dulcinée de Toboso.

– Pierre, je n'aime pas ces sortes de plaisanteries ; ne profane pas ainsi le nom de ma Louise ; appelle-la de tous les noms poétiques ou historiques que tu voudras, mais ne l'assimile pas à la grosse et stupide amante de Don Quichotte. Tu es bien heureux, toi, de badiner de tout cela. Si tu savais pourtant combien c'est triste d'être amoureux, et de vivre si loin de son amie. Malgré mes airs de gaieté, je m'ennuie quelquefois à la mort. Ah ! va, je suis plus à plaindre que tu ne penses...

– Oh ! puisque vous n'êtes pas en train de rire, dit Pierre en regardant son maître d'un air un peu surpris, je vous demande pardon. Tonnerre d'un nom ! (c'était là son juron ordinaire,) je ne voulais pas vous faire de peine. Tout ce que je peux dire pourtant, c'est qu'à votre place je ne m'amuserais pas à être malheureux.

– Comment cela ?

– Je veux dire qu'il me semble que quand on la chance d'être aimé de mademoiselle Louise Routier, on devrait être content. J'en connais qui se contenteraient à moins.

– Qui t'a dit que j'étais aimé ?

– Tout le monde, tonnerre d'un nom ! C'est bien connu. C'est naturel d'ailleurs. Enfin on sait bien qu'elle n'en aura jamais d'autre que vous.

– Ça me fait plaisir ce que tu dis là, Pierre. Je sais bien moi aussi, que lors de notre séparation je ne lui étais pas tout-à-fait indifférent. Je t'avouerai même confidentiellement que j'ai cru m'apercevoir qu'en me tournant le dos, après avoir reçu mes adieux, elle avait les larmes aux yeux.

– Oh ! pour ça, je n'en doute pas ; et si vous n'aviez pas été là je suis sûr que ses beaux yeux auraient laissé tomber ces larmes que vous dites ; même je ne serais pas surpris qu'après votre départ elle se fût enfermée toute seule dans sa petite chambre pour y penser à vous tout à son aise le reste de la journée.

– Le reste de la journée, peut-être,... mais ce qui m'inquiète, c'est que depuis bientôt six mois que nous sommes partis de Grandpré je n'ai pu lui adresser qu'une pauvre petite lettre, l'automne dernier. Tu sais que depuis le commencement de l'hiver je lui ai écrit une longue lettre chaque semaine, mais que faute d'occasion pour les lui envoyer elles sont encore toutes dans le tiroir de ma table. Si elle savait combien j'ai toujours pensé à elle, je suis sûr qu'elle m'en aimerait davantage ; mais elle ignore dans quel affreux isolement nous vivons, et elle peut croire que je l'ai oubliée. Tu sais combien elle est recherchée par tous les jeunes gens de Grandpré ; il ne tiendrait qu'à elle de se marier, et qui sait si elle ne l'est pas déjà ? Tiens, cette seule idée me bouleverse l'esprit...

– Moi, mon Empereur, je n'ai pas l'honneur d'être en connaissance avec mademoiselle Louise Routier, mais je gagerai tout ce qu'on voudra qu'elle a trop d'esprit pour en prendre un autre, quand elle est sûre de vous avoir. Vous vous donnez des inquiétudes pour rien. D'abord, les garçons comme vous, monsieur Jean, soit dit sans vous flatter, ne se rencontrent pas à toutes les portes ; c'est vrai que vous n'êtes pas aussi riche que beaucoup d'autres, mais vous le serez plus tard, parce que vous n'avez pas peur de travailler, et que, comme vous le dites tous les jours, le travail mène à la richesse. Ensuite, ce qui vous met au-dessus de tous les autres garçons qui vont chez le père Routier, c'est que vous avez de l'éducation, et qu'ils n'en ont pas ; vous pouvez lire dans tous les livres, vous pouvez écrire toutes sortes de jolies lettres, et vous savez comme les jeunes filles aiment ça ; enfin vous avez du cœur, du courage, et les filles aiment ça encore plus que tout le reste. C'est clair que vous lui êtes tombé dans l'œil, et que vous êtes destinés l'un pour l'autre ; ça c'est écrit dans le ciel de toute éternité...

– Eh bien ! mon bon ami, dit Jean Rivard en se levant, quoique je n'aie pas toute ta certitude, ton bavardage cependant me fait du bien. Il est clair qu'un amoureux doit avoir un confident. Je me sens maintenant soulagé et je ne regrette pas de t'avoir dit ce que j'avais sur le cœur.

Pendant le cours des trois semaines que nos défricheurs consacrèrent à la fabrication du sucre, Mlle. Louise Routier fut un fréquent et intéressant sujet de conversation. Jean Rivard eût donné volontiers tout son sucre d'érable pour la voir un moment dans sa cabane goûter un peu de sirop, de tire ou de trempette. Lorsqu'il faisait part de ce souhait à Pierre Gagnon : « Oh ! laissez faire, disait celui-ci, avant deux ans vous verrez que Madame viendra sans se faire prier, et que les années d'ensuite elle vous demandera des petites *boulettes* pour ces chers petits qui ne seront pas encore assez grands pour venir à la sucrerie. »

Jean Rivard ne croyait pas à tant de félicité mais ces propos de son compagnon avaient l'effet de l'égayer et de convertir ses pensées de tristesse en rêves de bonheur.

Nos deux hommes firent environ trois cents livres de sucre et plusieurs gallons de sirop. C'était plus qu'il ne fallait pour les besoins ordinaires de l'année, et Jean Rivard songeait à disposer de son superflu de la manière la plus avantageuse, lors de son voyage à Grandpré, qui ne devait pas être retardé bien longtemps.

Mais n'oublions pas de consigner ici une perte lamentable que fit notre ami Pierre Gagnon.

On dit que l'écureuil ne s'apprivoise jamais ; la conduite du jeune élève de Pierre Gagnon semblerait venir à l'appui de cette assertion. Un jour que le petit animal, perché sur l'épaule de son maître, l'accompagnait dans sa tournée pour recueillir la sève, tout-à-coup il bondit vers une branche d'arbre, puis de cette branche vers une autre, sautillant ainsi de branche en branche jusqu'à ce qu'il disparut complètement pour ne plus revenir.

Pierre Gagnon ne chanta plus du reste de la journée, et son silence inusité disait éloquemment le deuil de son âme et toute la profondeur de son chagrin.

XI

Première visite à Grandpré

Cette visite à Grandpré était depuis plusieurs mois le rêve favori de Jean Rivard. La perspective de revoir bientôt, après une absence de plus de six mois, les êtres qu'il affectionnait le plus au monde, faisait palpiter son cœur des plus douces émotions.

Le soir du cinq avril, s'adressant à son compagnon : « Pierre, dit-il, ne songes-tu pas à faire tes Pâques ?

– Oh ! pour ça, oui, mon bourgeois, j'y ai pensé déjà plus d'une fois et j'y pense encore tous les jours. Il est bien vrai que depuis six mois je n'ai guère eu l'occasion de fréquenter les auberges ni les mauvaises compagnies, et qu'il ne m'est pas arrivé souvent de médire ou parler mal de mon prochain ni de me quereller avec personne. C'est bien triste tout de même de passer la quasimodo sans communier ; c'est la première fois qu'il arrivera à Pierre Gagnon d'être au nombre des *renards.*

– Ça ne t'arrivera pas, mon Pierre, dit Jean Rivard ; nous allons partir ensemble, pas plus tard que demain ; toi, tu t'arrêteras au village de Lacasseville où tu trouveras une chapelle et un missionnaire catholiques. Tu y passeras deux ou trois jours, si tu veux, puis tu reviendras à *Louiseville* (c'est ainsi que Jean Rivard avait baptisé sa cabane et les environs de sa propriété.) Et moi, je poursuivrai ma route ; j'irai voir ma mère, mes frères, mes sœurs et le curé de ma paroisse.

– Ça me va, ça, tonnerre d'un nom ! s'écria Pierre Gagnon, dans un transport de joie.

Le lendemain, la neige qui restait encore sur le sol étant assez gelée pour porter un homme, les deux défricheurs partirent à pied sur la *croûte*, et en moins de trois heures ils eurent parcouru les trois lieues qui les séparaient des habitations ; après quoi Jean Rivard, donnant à son homme les instructions nécessaires, se fit conduire en voiture à Grandpré.

L'arrivée inattendue de Jean Rivard produisit, comme on le pense bien, une immense sensation dans sa famille. La bonne mère pleurait de joie ; les frères et sœurs ne cessaient d'embrasser leur frère aîné, de l'entourer, de le regarder, de l'interroger. On eût dit qu'il revenait de quelque expédition périlleuse chez des tribus barbares ou dans les glaces du pôle arctique. Il fallait voir aussi les démonstrations de joie, les serrements de mains, les félicitations de toutes sortes qu'il reçut de ses anciens voisins et camarades, en un mot, de toutes ses connaissances de Grandpré.

Nulle part l'esprit de fraternité n'existe d'une manière aussi touchante que dans les campagnes canadiennes éloignées des villes. Là, toutes les classes sont en contact les unes avec les autres ; la diversité de profession ou d'état n'y est pas, comme dans les villes, une barrière de séparation ; le riche y salue le pauvre qu'il rencontre sur son chemin, on mange à la même table, on se rend à l'église dans la même voiture. Là, ceux qui ne sont pas unis par les liens du sang le sont par ceux de la sympathie ou de la charité ; on y connaît toujours ceux qui sont malades, ceux qui sont infirmes, ceux qui éprouvent des infortunes comme ceux qui prospèrent ; on se réjouit ou on s'afflige avec eux ; on s'empresse au chevet des malades et des mourants ; on accompagne leurs restes mortels à la dernière demeure.

Doit-on s'étonner après cela que la plupart des familles canadiennes soient si fortement attachées aux lieux qui les ont vu naître, et que celles qui ont eu le malheur d'en partir en conservent si longtemps un touchant souvenir ?

Je ne dirai pas toutes les questions auxquelles Jean Rivard eut à répondre. Il n'en fut quitte qu'après avoir raconté dans le détail le plus minutieux tout ce qu'il avait fait depuis son départ de la maison paternelle.

De son côté, notre jeune homme, qui depuis six mois n'avait reçu aucune nouvelle de Grandpré, brûlait d'apprendre ce qui s'y était passé. Les décès, les naissances et les mariages sont les principaux sujets des conversations dans les familles de cultivateurs. En entendant l'énumération faite par sa sœur Mathilde des mariages contractés durant le dernier semestre, il lui fallait se tenir le cœur à deux mains pour l'empêcher de battre trop fort. Mais il fut bientôt tranquillisé en apprenant que mademoiselle Louise Routier était encore fille et ne paraissait nullement songer à se marier.

Est-il besoin de dire qu'il s'empressa d'aller dès le soir même visiter la famille Routier, et qu'il passa près de sa Louise plusieurs heures qui lui semblèrent autant de minutes ?

En le voyant entrer, Louise fut un peu émue ; une légère rougeur couvrit ses joues, et Jean Rivard la trouva plus charmante que jamais. Chose singulière ! ces deux amis d'enfance, qui avaient si souvent joué et badiné ensemble, qui s'étaient tutoyés depuis le moment où ils avaient commencé à bégayer, éprouvaient maintenant vis-à-vis l'un de l'autre je ne sais quelle espèce de gêne, de réserve timide et respectueuse. En s'adressant la parole, le *vous* venait involontairement remplacer le *tu* familier d'autrefois. Le père et la mère Routier, qui remarquaient ce changement, ne pouvaient s'empêcher d'en sourire.

Le seul reproche articulé dans le cours de l'entretien, le fut par mademoiselle Routier :

– « Ce n'est pas beau, dit-elle, d'un petit air qu'elle s'efforçait de rendre boudeur, d'avoir laissé passer presque six mois sans nous donner de *vos* nouvelles.

– Cette chère Louise, ajouta madame Routier, elle vous croyait mort, ce qui ne l'empêchait pas pourtant de dire tous les jours, comme de coutume, une partie de son chapelet à votre intention. Seulement au lieu d'une dizaine elle en disait deux, et si vous n'étiez pas arrivé, je crois qu'elle en serait venue à dire tout son chapelet pour le repos de votre âme.

– Ah ! maman, ne parlez donc pas comme ça, dit Louise en rougissant encore davantage.

Jean Rivard n'eut pas de peine à convaincre son amie que leur longue séparation et son silence de plusieurs mois n'avaient en rien changé ses sentiments, et pour preuve, il lui remit, avec la permission de sa mère, les lettres qu'il lui avait écrites durant l'hiver et qu'il n'avait pu lui faire parvenir.

Jean Rivard songeait bien déjà à la demander en mariage, mais malgré tout son amour, ou plutôt à cause de cet amour, il ne voulait pas exposer sa Louise à regretter l'aisance et le bonheur dont elle jouissait sous le toit de ses parents.

Le père Routier fit à Jean Rivard une foule de questions sur le canton de Bristol, sur la qualité du sol, sur les communications ; il le fit parler longtemps sur ses travaux de déboisement, sur ses craintes et ses espérances pour l'avenir ; et quand Jean Rivard fut sorti :

– « Notre voisine est heureuse, dit-il, d'avoir un garçon comme celui-là. C'est ce qu'on peut appeler un jeune homme de cœur. Je voudrais que chaque paroisse pût en fournir seulement cinquante comme ça ; le pays deviendrait riche en peu de temps, et nos filles seraient sûres de faire des mariages avantageux.

– Dis donc pourtant, François, interrompit madame Routier, que ça n'est pas gai pour une jeune fille d'aller demeurer au fond des bois ?

Louise regarda sa mère d'un air surpris.

– Mais ce que tu appelles le fond des bois, ma bonne femme, répondit le père Routier, ça sera bien vite une paroisse comme Grandpré, et c'est Jean Rivard qui sera magistrat et le plus grand seigneur de la place. Sais-tu une chose qui m'a passé par la tête en jasant avec lui ? C'est qu'il pourrait se faire qu'un jour je vendrais ma terre de Grandpré pour acheter une dizaine de lots dans le canton de Bristol. J'ai plusieurs garçons qui poussent ; je pourrais, avec moitié moins d'argent, les établir là plus richement que dans nos vieilles paroisses. Nous irions *rester* à Bristol ; toute la famille ensemble, ça ne serait pas si ennuyeux, à la fin du compte. Hein ? qu'en dis-tu, ma petite, dit-il, en s'adressant à Louise qui écoutait de toutes ses oreilles ? »

Louise ne répondit rien, mais il était facile de voir que cette perspective ne l'effrayait nullement.

Jean Rivard n'oublia pas de visiter son bon ami le curé de Grandpré auquel il était redevable de ses bonnes résolutions, et dont les réflexions judicieuses et les conseils paternels servirent encore cette fois à retremper son courage.

Il fallut bien aussi donner quelques heures aux affaires. Jean Rivard avait déjà touché quinze louis sur les cinquante qui constituaient sa fortune. Il réussit à obtenir quinze autres louis qu'il destinait à l'achat de provisions et de quelques ustensiles agricoles.

Il engagea de plus à son service un nouveau travailleur qu'il voulait adjoindre à Pierre Gagnon. Il ne s'obligeait à lui payer ses gages qu'au bout de six mois, Jean Rivard se reposant en partie sur le produit de sa prochaine récolte pour faire face à cette obligation.

Les circonstances poussèrent en outre notre héros à contracter des engagements bien plus considérables que ceux qu'il avait prévus jusqu'alors. Mais il me faut entrer ici dans des détails tellement prosaïques que je désespère presque de me faire suivre par mes lecteurs même les plus bénévoles.

En tous cas, je déclare loyalement que la suite de ce chapitre ne peut intéresser que les défricheurs et les économistes.

En retournant à Louiseville, Jean Rivard dut s'arrêter plus d'une journée à Lacasseville. Là, tout en s'occupant de diverses affaires, il fit la connaissance d'un marchand américain, du nom d'Arnold, établi depuis plusieurs années dans ce village même, lequel, sachant que Jean Rivard avait entrepris des défrichements, voulut savoir s'il n'avait pas intention de tirer avantage de la cendre provenant du bois qu'il allait être obligé de faire brûler dans le cours de ses opérations.

Jean Rivard répondit que son intention avait d'abord été de convertir cette cendre en potasse ou en perlasse, mais que le manque de chemins et par suite les difficultés de transport l'avait forcé de renoncer à ce projet.

Après une longue conversation dans le cours de laquelle le perspicace américain put se convaincre de la stricte honnêteté, de l'intelligence et de l'activité industrieuse du jeune défricheur, il proposa de faire entre eux un contrat d'après lequel lui, Arnold, s'engagerait à « procurer à crédit la chaudière, les cuves, et le reste des choses nécessaires à la fabrication de la potasse, de les transporter même à ses frais jusqu'à la cabane de Jean Rivard, à condition que Jean Rivard s'obligerait à livrer au dit Arnold, dans le cours des trois années suivantes, au moins vingt-cinq barils de potasse, à raison de vingt chelins le quintal. »

Le prix ordinaire de la potasse était de trente à quarante chelins le quintal, mais Arnold se chargeait encore dans ce dernier cas des frais de transport, considération de la plus grande importance pour Jean Rivard.

Le nouveau journalier que Jean Rivard emmenait avec lui (son nom était Joseph Lachance) avait été employé pendant plusieurs années dans une fabrique de potasse et pouvait donner une opinion assez sûre dans une matière comme celle-là.

Sur sa recommandation, et après avoir pris conseil de M. Lacasse, Jean Rivard accepta la proposition du marchant américain.

M. Lacasse, de qui il achetait ses provisions, lui vendit aussi à crédit, et sans hésiter, une paire de bœufs de travail, avec l'attelage nécessaire, une vache et le foin pour nourrir ces animaux pendant six semaines, une herse, et tout le grain de semence dont il avait besoin, se contentant de l'à-compte de quinze louis dont Jean Rivard pouvait disposer pour le moment.

Bref, notre défricheur se trouvait endetté tant envers M. Lacasse qu'envers Arnold d'une somme de trente louis, le tout payable sur la vente de ses produits futurs.

Malgré toute la répugnance que Jean Rivard éprouvait à s'endetter, il se disait cependant que les divers effets achetés par lui étant de première nécessité, on ne pouvait après tout regarder cela comme une dépense imprudente. D'ailleurs M. Lacasse, l'homme sage et prudent par excellence, approuvait sa conduite, cela suffisait pour le rassurer.

Une nouvelle lettre de Gustave Charmenil attendait Jean Rivard au bureau de poste de Lacasseville.

Deuxième lettre de Gustave Charmenil.

« Mon cher ami,

« Toujours gai, toujours badin, même au milieu des plus rudes épreuves, tu es bien l'être le plus heureux que je connaisse. Il est vrai que le travail, un travail quelconque, est une des principales conditions du bonheur ; et lorsque à cela se joint l'espérance d'améliorer, d'embellir chaque jour sa position, le contentement intérieur doit être à peu près complet. Je te trouve heureux, mon cher Jean, d'avoir du travail : n'en a pas qui veut. J'en cherche en vain depuis plusieurs mois, afin d'obtenir les moyens de terminer ma cléricature. J'ai frappé à toutes les portes. J'ai parcouru les bureaux de tous les avocats marquants, ne demandant rien de plus en échange de mes services que ma nourriture et le logement ; partout on m'a répondu que le nombre des clercs était déjà plus que suffisant. J'ai visité les bureaux des cours de justice et ceux de l'enregistrement : même réponse. Hier, j'ai parcouru tous les établissements d'imprimerie, m'offrant comme correcteur d'épreuves, mais sans obtenir plus de succès.

« Invariablement, chaque matin, je pars de ma maison de pension, et m'achemine vers les rues principales dans l'espoir d'y découvrir quelque chose à faire.

« Souvent je me rends jusqu'à la porte d'une maison où je me propose d'entrer, mais la timidité me fait remettre au lendemain, puis du lendemain à un autre jour jusqu'à ce que je finisse par renoncer tout-à-fait à ma démarche.

« J'ai été jusqu'à m'offrir comme instituteur dans une campagne des environs, sans pouvoir être accepté à cause de ma jeunesse et de mon état de célibataire.

« Je passe des journées à chercher, et le soir je rentre chez moi la tristesse dans le cœur. Parmi ceux à qui je m'adresse, les uns me répondent froidement qu'ils n'ont besoin de personne, les autres me demandent mon nom et mon adresse, les plus compatissants laissent échapper quelques mots de sympathie. Mais je suis à peine sorti qu'on ne pense plus à moi. Ah ! je me suis dit souvent qu'il n'est pas de travail plus pénible que celui de chercher du travail. Un ingénieux écrivain a fait un livre fort amusant intitulé : *Jérôme Paturot à la recherche d'une position sociale* ; j'en pourrais faire un, moins amusant mais beaucoup plus vrai, intitulé : *Gustave Charmenil à la recherche d'un travail quelconque*. Tu sais que j'ai toujours été timide, gauche : je ne suis guère changé sous ce rapport ; je crois même que ce défaut qui nuit beaucoup dans le monde s'accroît chez moi de jour en jour. Te dirai-je une chose, mon cher ami ? J'en suis venu à croire que, à moins d'avoir un extérieur agréable, une certaine connaissance du monde, une mise un peu élégante, et surtout une haute idée de soi-même et le talent de se faire valoir, il n'est guère possible de parvenir, ou comme on dit parmi nous, de « faire son chemin. » Le révolutionnaire Danton prétendait que pour réussir en révolution il fallait de l'audace, de l'audace et toujours de l'audace ; on pourrait adoucir un peu le mot et dire que pour réussir dans le monde il faut du front, du front, beaucoup de front. J'en connais, mon cher ami, qui, grâce à cette recette, font chaque jour des merveilles.

« L'agitation d'esprit dans laquelle je vis ne me permet de rien faire à tête reposée. Je ne puis pas même lire ; si je prends un livre, mes yeux seuls parcourent les lignes, mon esprit est ailleurs. Je ne puis rien écrire, et cette époque est complètement stérile pour ce qui regarde mon avancement intellectuel.

« Et pendant tout ce temps je suis seul à m'occuper ainsi de moi ; pas un être au monde ne s'intéresse activement à mon sort, à moi qui aurais tant besoin de cela !

« Mais ne va pas croire, mon cher ami, que je sois le seul à me plaindre. Une grande partie des jeunes gens instruits, ou qui se prétendent instruits, sont dans le même cas que moi, et ne vivent, suivant l'expression populaire, qu'en « tirant le diable par la queue ». Qu'un mince emploi de copiste se présente dans un bureau public, pas moins de trois ou quatre cents personnes le solliciteront avec instance. Vers la fin de l'hiver on rencontre une nuée de jeunes commis-marchands cherchant des situations dans les maisons de commerce ; un bon nombre sont nouvellement arrivés de la campagne, et courent après la toison d'or ; plusieurs d'entre eux en seront quittes pour leurs frais de voyage ; parmi les autres, combien végéteront ? combien passeront six, huit, dix ans, derrière un comptoir avant de pouvoir ouvrir boutique à leur propre compte ? Puis parmi ceux qui prendront à leur compte combien résisteront pendant seulement trois ou quatre ans ? Presque tous tomberont victimes d'une concurrence ruineuse ou de l'inexpérience, et seront condamnés à une vie misérable. Ah ! si tu savais, mon cher, que de soucis, de misère, se cachent quelquefois sous un paletot à la mode ! Va, sois sûr d'une chose : il y a dans la classe agricole, avec toute sa frugalité, sa simplicité, ses privations apparentes, mille fois plus de bonheur et je pourrais dire de véritable aisance, que chez la grande majorité des habitants de nos cités, avec leur faste emprunté et leur vie de mensonge.

« Quand je vois un cultivateur vendre sa terre à la campagne pour venir s'établir en ville, en qualité d'épicier, de cabaretier, de charretier, je ne puis m'empêcher de gémir de douleur. Voilà donc encore, me dis-je, un homme voué au malheur ! Et il est rare qu'en effet cet homme ne soit pas complètement ruiné après trois ou quatre années d'exercice de sa nouvelle industrie.

« Et ses enfants, que deviennent-ils ? Dieu le sait.

« Plus j'y songe, mon cher ami, plus j'admire le bon sens dont tu as fait preuve dans le choix de ton état. Et quand je compare ta vie laborieuse, utile, courageuse, à celle d'un si grand nombre de nos jeunes muscadins qui ne semblent venus au monde que pour se peigner, se parfumer, se toiletter, se dandiner dans les rues... oh ! je me sens heureux et fier d'avoir un ami tel que toi.

« Je suis tellement dégoûté de la vie que je mène, mon cher Jean, que si je sentais la force physique nécessaire, je te prierais de m'adjoindre à ton Pierre Gagnon qui, d'après le portrait que tu m'en fais, est bien l'homme le plus complètement heureux qu'il soit possible de trouver. Où donc le bonheur va-t-il se nicher ? Mais je ne te serais guère utile, au moins pendant longtemps ; je n'ai plus cette santé robuste dont je jouissais au collège. Les soucis, les inquiétudes ont affaibli mon estomac ; ma digestion ne se fait plus qu'avec peine. Je souffre déjà de cette maladie si commune parmi les gens de ma classe, la dyspepsie. Quelle différence encore entre toi et moi sous ce rapport ! Tes forces, me dis-tu, s'accroissent de jour en jour, tu possèdes un estomac d'autruche, et tu ignores encore ce que c'est qu'une indisposition même passagère. Ah ! mon cher ami, que je te félicite ! La santé, vois-tu, je l'entends dire tous les jours, et avec vérité, c'est le premier des biens terrestres.

« Tu veux absolument que je te donne des nouvelles de ma *Belle inconnue*. Eh bien ! mon cher ami, je continue à la voir chaque dimanche à l'église, et j'en suis de plus en plus épris. J'ai fait un grand pas cependant depuis que je t'ai écrit ; je sais maintenant où elle demeure. J'ai été assez hardi un jour pour la suivre (de fort loin, bien entendu) jusqu'à un bloc de grandes maisons en pierre de taille à trois étages, dans un des quartiers fashionables de la cité. Je la vis franchir le seuil de l'une des portes et entrer lestement dans la maison. Plusieurs fois ensuite, je la vis entrer par la même porte, de sorte que je n'eus plus de doute sur le lieu de sa résidence. Je puis maintenant diriger vers ce lieu poétique mes promenades du soir ; durant les heures d'obscurité, je passe et repasse, sans être remarqué, vis-à-vis cette maison où elle est, où elle respire, où elle parle, où elle rit, où elle brode... N'est-ce pas que ce doit être un petit paradis ? J'entends quelquefois dans le salon les sons du piano et les accents d'une voix angélique, je n'ai aucun doute que ce ne soit celle de ma belle inconnue. Imagine-toi que l'autre soir, comme je portais mes regards vers une des fenêtres de la maison, les deux petits volets intérieurs s'ouvrirent tout-à-coup et j'aperçus... tu devines ?... ma belle inconnue en corps et en âme se penchant pour regarder dehors !... Tu peux croire si le cœur me bondit. Je fus tellement effrayé que je pris la fuite comme un fou, sans trop savoir où j'allais, et je ne suis pas retourné là depuis. J'y retournerai toutefois, mais je ne veux pas savoir son nom. Ah ! quand on aime comme moi, mon cher ami, qu'il est triste d'être pauvre !

« Adieu et au revoir.

« Gustave Charmenil. »

Cette lettre que Jean Rivard parcourut à la hâte avant d'entrer dans la forêt pour se rendre à son gîte, le fit songer tout le long de la route. « Malgré mon rude travail, se disait-il, et les petites misères inséparables de mon état, il est clair que mon ami Gustave est beaucoup moins heureux que moi. C'est vrai qu'il a l'espoir d'être un jour avocat et membre du Parlement, mais ces honneurs, après tout, méritent-ils bien qu'on leur sacrifie la paix de l'âme, les plaisirs du cœur, la santé du corps et de l'esprit ? Cette belle inconnue qu'il aime tant n'est, j'en suis sûr, ni plus aimable, ni plus aimante, ni plus pieuse que ma Louise, et cependant toute l'ambition, tout l'amour de Gustave ne vont pas jusqu'à le faire aspirer à sa main, tandis que moi, avant deux ans, je serai le plus fortuné des mortels. Mais que diable aussi a-t-il été faire dans cette galère ? S'il se fût contenté de l'amour et du bonheur dans une chaumière, peut-être aujourd'hui serait-il en voie d'être heureux comme moi. Je l'aime pourtant, ce cher Gustave ; son âme sensible et bonne, ses talents, son noble caractère lui mériteraient un meilleur sort. »

XII

Retour à Louiseville – Le brûlage

Je n'entreprendrai pas de raconter le voyage de Jean Rivard, de Lacasseville à Louiseville, à travers les bois, et dans cette saison de l'année. Les hommes chargés du transport des ustensiles d'agriculture faillirent en mourir à la peine.

Toute la grande journée du 16 avril fut employée à l'accomplissement de cette tâche. Dans les douze heures passées à faire ces trois lieues, Jean Rivard eût parcouru avec beaucoup moins de fatigue, trois cents milles sur un chemin de fer ordinaire.

Nous n'en finirions pas s'il fallait dire les haltes fréquentes, les déviations forcées pour éviter un mauvais pas ou sortir d'un bourbier. Et pourtant tout cela s'exécuterait beaucoup plus facilement, et surtout beaucoup plus promptement, sur le papier que sur le terrain.

Il fallait être endurci aux fatigues comme l'était notre défricheur pour tenir ainsi debout toute une longue journée, courant deçà et delà, au milieu des neiges et à travers les arbres, sans presque un instant de repos.

Jamais Jean Rivard ne comprit si bien le découragement qui avait dû s'emparer d'un grand nombre des premiers colons. Pour lui, le découragement était hors de question, – ce mot ne se trouvait pas dans son dictionnaire, – et comme il l'exprimait énergiquement : le diable en personne ne l'eût pas fait reculer d'un pouce. Mais les lenteurs qu'il fallait subir et la perte de temps qui s'en suivait le révoltaient au point de le faire sortir de sa réserve et de sa gaieté ordinaires.

On peut s'imaginer si Pierre Gagnon ouvrit de grands yeux en voyant vers le soir arriver à sa cabane une procession disposée à peu près dans l'ordre suivant : premièrement, Jean Rivard conduisant deux bœufs destinés aux travaux de défrichement ; secondement, Lachance conduisant « la Caille » (c'était le nom de la vache) ; troisièmement enfin, les hommes de M. Lacasse et d'Arnold, traînant sur des *ménoires croches* (espèce de véhicule grossier, sans roues ni essieu, ni membres d'aucune espèce, inventé pour les transports à travers les bois,) les grains de semence et divers autres articles achetés par Jean Rivard.

Jamais Louiseville n'avait vu tant d'êtres vivants ni tant de richesse réunis dans son enceinte. C'était plus qu'il n'en fallait pour inspirer au facétieux Pierre Gagnon un feu roulant de joyeux propos, et la forêt retentit une partie de la nuit des éclats de rire de toute la bande, mêlés aux beuglements des animaux, les premiers sans doute qui eussent encore retenti dans cette forêt vierge.

Les hommes de M. Lacasse et d'Arnold repartirent le lendemain matin, emportant avec eux deux cents livres de sucre que Jean Rivard donnait en déduction de sa dette.

À Louiseville, une partie de cette journée se passa en arrangements et préparatifs de toutes sortes. Et quand tout fut prêt, Jean Rivard s'adressant à ses deux hommes :

« Mes amis, dit-il, vous voyez ces quinze arpents d'abattis ? Il faut que dans deux mois toute cette superficie soit nettoyée, que ces arbres soient consumés par le feu, que les cendres en soient recueillies, et que ce terrain complètement déblayé et hersé, ait été ensemencé. Nous ne nous reposerons que lorsque notre tâche sera remplie. »

Puis se tournant vers Pierre, en souriant : « C'est la campagne d'Italie qui va s'ouvrir, dit-il : pour reconnaître tes services passés, je te fais chef de brigade ; Lachance sera sous ton commandement, et toi, tu recevras tes ordres directement de moi. Je ne m'éloignerai pas de vous, d'ailleurs, et vous me trouverez toujours au chemin de l'honneur et de la victoire. »

– Hourra ! et en avant ! s'écria Pierre Gagnon qui aimait beaucoup ces sortes de plaisanteries ; et dans un instant les deux bœufs furent attelés, tous les ustensiles rassemblés, et les trois défricheurs étaient à l'œuvre.

Il s'agissait de réunir en monceaux, ou, suivant l'expression reçue parmi les défricheurs, de « tasser » les arbres coupés ou arrachés durant les six mois précédents.

Le brûlage, c'est-à-dire, le nettoyage complet du sol par le feu, forme certainement la principale opération du défricheur. C'est la plus longue et la plus fatigante, c'est celle qui requiert la plus grande force physique, et en même temps la surveillance la plus attentive.

Le travail auquel est assujetti le défricheur, à son début dans la forêt, pour abattre les arbres, les étêter, les ébrancher, les débiter, n'est rien comparé aux efforts et aux soins qu'exigent, avant que le terrain puisse être utilisé, le *tassage* et le brûlage de l'abattis.

C'est ici que l'esprit d'ordre, la méthode, le jugement pratique, la justesse de coup d'œil de Jean Rivard trouvèrent leur application. Tout en travaillant sans cesse avec ses deux hommes, il les guidait, les dirigeait, et jamais un pas n'était perdu, jamais un effort inutile.

Les pièces de bois les plus légères, les arbustes, les branchages, en un mot tout ce qui pouvait facilement se manier et se transporter à bras était réuni en tas par les trois hommes ; s'il était nécessaire de remuer les grosses pièces, ce qu'on évitait autant que possible, les deux bœufs, attelés au moyen d'un joug et d'un grossier carcan de bois, venaient en aide aux travailleurs, en traînant, à l'aide de forts traits de fer, ces énormes troncs d'arbres les uns auprès des autres ; puis, nos trois hommes, au moyen de *rances* et de leviers, complétaient le *tassage*, en empilant ces pièces et les rapprochant le plus possible.

C'est là qu'on reconnaît la grande utilité d'une paire de bœufs. Ces animaux peuvent être regardés comme les meilleurs amis du défricheur : aussi Jean Rivard disait-il souvent en plaisantant que si jamais il se faisait peindre, il voulait être représenté guidant deux bœufs de sa main gauche et tenant une hache dans sa main droite.

Le défricheur qui n'a pas les moyens de se procurer cette aide est bien forcé de s'en passer, mais il est privé d'un immense avantage. Ces animaux sont de beaucoup préférables aux chevaux pour les opérations de défrichement. Le cheval, ce fier animal « qui creuse du pied la terre et s'élance avec orgueil », ne souffre pas d'obstacle ; il se cabre, se précipite, s'agite jusqu'à ce qu'il rompe sa chaîne ; le bœuf, toujours patient, avance avec lenteur, recule au besoin, se jette d'un côté ou de l'autre, à la voix de son maître ; qu'il fasse un faux pas, qu'il tombe, qu'il roule au milieu des troncs d'arbres, il se relèvera calme, impassible, comme si rien n'était arrivé, et reprendra l'effort interrompu un instant par sa chute.

Les deux bœufs de nos défricheurs étaient plus particulièrement les favoris de Pierre Gagnon ; c'est lui qui les soignait, les attelait, les guidait ; il leur parlait comme s'ils eussent été ses compagnons d'enfance. Il regrettait une chose cependant, c'est qu'ils n'entendaient que l'anglais ; ils avaient été élevés dans les Cantons de l'Est, probablement par quelque fermier écossais ou américain, et cela pouvait expliquer cette lacune dans leur éducation. L'un d'eux s'appelait *Dick* et l'autre *Tom*. Pour les faire aller à droite il fallait crier *Djee*, et pour aller à gauche *Wahaish*. À ces cris, ces intelligents animaux obéissaient comme des militaires à la voix de leur officier.

Une fois que les arbres, petits et gros, débités en longueurs de dix à onze pieds, avaient été entassés les uns sur les autres de manière à former des piles de sept ou huit pieds de hauteurs et de dix à douze de largeur, entremêlées d'arbustes, de broussailles et de bouts de bois de toutes sortes, il ne s'agissait plus que d'y mettre le feu.

Puis, quand le feu avait consumé la plus grande partie de ces énormes monceaux d'arbres, on procédait à une seconde, souvent même à une troisième opération, en réunissant les squelettes des gros troncs que le premier feu n'avait pu consumer, ainsi que les charbons, les copeaux, en un mot tout ce qui pouvait alimenter le feu et augmenter la quantité de cendre à recueillir ; car il ne faut pas omettre de mentionner que Jean Rivard mettait le plus grand soin à conserver ce précieux résidu de la combustion des arbres. Cette dernière partie du travail de nos défricheurs exigeait d'autant plus de soin qu'elle ne pouvait prudemment s'ajourner, la moindre averse tombée sur la cendre ayant l'effet de lui enlever une grande partie de sa valeur.

Mais ces diverses opérations, il faut le dire, ne pouvaient s'exécuter en gants blancs ; et il arriva plus d'une fois à nos défricheurs de retourner le soir à leur cabane la figure et les mains tellement charbonnées qu'on les eût pris pour des Éthiopiens.

« Tonnerre d'un nom ! disait Pierre Gagnon, en regardant son maître, si mademoiselle Louise pouvait nous apparaître au milieu des souches, je voudrais voir la mine qu'elle ferait en voyant son futur époux. »

Dans les circonstances, une telle apparition n'eût certainement pas été du goût de Jean Rivard.

Chaque soir, nos défricheurs étaient morts de fatigue ; ils éprouvaient cependant une certaine jouissance à contempler la magnifique illumination que produisait au milieu des ténèbres de la nuit et de la solitude des forêts l'incendie de ces montagnes d'arbres et d'arbrisseaux. C'était vraiment un beau coup d'œil. Ils eurent une fois entre autres, par une nuit fort noire, un de ces spectacles d'une beauté vraiment saisissante, et qui aurait mérité d'exercer le pinceau d'un artiste ou la verve d'un poète, quoique l'un et l'autre eussent certainement été impuissants à reproduire cette scène grandiose dans toute sa splendeur. Ils l'appelèrent l'incendie de Moscou, mais il y avait cette différence entre les deux incendies que l'un avait détruit des richesses immenses et que l'autre était destiné à en produire ; que l'un avait causé le malheur et la pauvreté d'un grand nombre de famille, et que l'autre devait faire naître l'aisance et le bonheur dans la cabane du laboureur.

Pierre Gagnon revenait sans cesse et à tout propos sur ces allusions historiques ; il voulait même à toute force engager Jean Rivard à recommencer la lecture de l'Histoire de Napoléon, pour l'édification et l'instruction de Lachance ; mais, avec la meilleure volonté du monde, Jean Rivard ne pouvait accéder à cette demande. Les veillées étaient devenues plus courtes et lorsqu'il trouvait un moment de loisir il l'employait à écrire des notes ou à faire des calculs sur ses opérations journalières.

« L'hiver prochain, répondait-il, les soirées seront longues et si vous êtes encore à mon service, nous ferons d'intéressantes lectures au coin du feu.

– Que vous êtes heureux, mon Empereur, de savoir lire, disait Pierre Gagnon ! Comme ça doit être amusant d'apprendre tout ce qui s'est passé depuis que le monde est monde, de connaître le comportement de la terre, des hommes, des animaux, des arbres, et de savoir jusqu'à la plus petite chose !

– Oh ! si tu savais, mon cher Pierre, combien je suis ignorant, bien que je sache lire ! Sais-tu que, quand même je passerais toute ma vie à lire et à étudier, et que je serais doué d'une intelligence supérieure, je ne connaîtrais point la millionième partie des choses ? Plus j'approfondirais les sciences, plus je serais étonné de mon ignorance. Par exemple, l'étude seule des animaux pourrait occuper plusieurs centaines de vies d'hommes. La mémoire la plus extraordinaire ne pourrait pas même suffire à retenir les noms des animaux mentionnés dans les livres, tandis que le nombre de ceux qui sont encore inconnus, est probablement beaucoup plus considérable. La seule classe des insectes comprend peut-être quatre vingt mille espèces connues, et de nouvelles découvertes se font chaque jour dans les diverses parties du monde. Les oiseaux, les poissons comprennent aussi des milliers d'espèces. Un auteur a calculé qu'un homme qui travaillerait assidûment dix heures par jour ne pourrait dans l'espace de quarante années, consacrer qu'environ une heure à chacune des espèces présentement connues ; suivant le même auteur, l'étude seule d'une chenille, si on veut la suivre dans ses métamorphoses, la disséquer, la comparer dans ses trois états successifs, pourrait occuper deux existences d'homme.

Et toutes ces plantes que tu vois chaque jour, ces arbres que nous abattons, ces petites fleurs que nous apercevons de temps en temps dans le bois et qui ont l'air de se cacher modestement sous les branches protectrices des grands arbres, tout cela demanderait encore des siècles d'études pour être parfaitement connu. On peut dire la même chose des richesses minérales enfouies dans les entrailles de la terre.

Ce n'est qu'en se divisant le travail à l'infini que les savants ont pu parvenir à recueillir les notions que le monde possède aujourd'hui sur les diverses branches des connaissances humaines.

– C'est bien surprenant, ce que vous dites là, mon Empereur. Mais ça n'empêche pas pourtant que je voudrais en savoir un peu plus long que j'en sais. Ah ! si mon père n'était pas mort si jeune, j'aurais pu moi aussi aller à l'école, et je saurais lire aujourd'hui, peut-être écrire. Au lieu de fumer, comme je fais en me reposant, je lirais, et il me semble que ça me reposerait encore mieux. Ah ! tout ce que je peux dire, mon Empereur, c'est que si le brigadier Pierre Gagnon se marie un jour, et s'il a des enfants, ses enfants apprendront à lire, tonnerre d'un nom ! ou Pierre Gagnon perdra son nom.

– C'est bien, mon Pierre, ces sentiments sont honorables ; je suis bien convaincu qu'avec ton énergie et ton bon jugement, et surtout ton amour du travail, tu seras un jour à l'aise, et que tes enfants, si tu en as, pourront participer aux avantages de l'éducation et faire de braves citoyens. »

XIII

Les semailles

Et Dieu dit : Que la terre produise les plantes verdoyantes avec leur semence, les arbres avec des fruits chacun selon son espèce qui renferment en eux-mêmes leur semence pour se reproduire sur la terre. Et il fut ainsi.

La Genèse.

Au maître des saisons adresse donc tes vœux. Mais l'art du laboureur peut tout après les dieux.

Les Géorgiques.

Ce fut une époque heureuse pour Jean Rivard que celle où il dut suspendre de temps en temps ses travaux de brûlage pour préparer la terre et l'ensemencer. Il est vrai que cette dernière opération était beaucoup plus simple et requérait moins de temps dans cette terre neuve que dans les terres depuis longtemps cultivées. Le grain de semence était d'abord jeté sur la terre, après quoi une lourde herse triangulaire, armée d'énormes dents, était promenée aussi régulièrement que possible sur la surface raboteuse du sol fraîchement nettoyé. Ce travail composait tout le procédé d'ensemencement.

Il faut avouer que l'aspect des champs nouvellement ensemencés n'a rien de bien poétique, et ne saurait ajouter aux beautés d'un tableau de paysage. Les souches noircies par le feu apparaissent çà et là comme des fantômes ; ce n'est qu'au bout de sept ou huit ans, qu'elles finissent par tomber et disparaître

Sous les coups meurtriers du temps.

« Laissons faire, disait Jean Rivard qui préférait toujours n'envisager que le beau côté des choses, avant trois mois les blonds épis s'élèveront à la hauteur de ces fantômes et nous cacheront leurs têtes lugubres. »

Depuis le milieu d'avril jusqu'à la fin de juin, nos trois défricheurs et leurs deux bœufs furent constamment occupés. Rarement le lever de l'aurore les surprit dans leur lit, et plus d'une fois la pâle courrière des cieux éclaira leurs travaux de ses rayons nocturnes.

Qu'on se représente notre héros, après une de ces rudes journées de labeur. Ses membres s'affaissent, tout son corps tombe de lassitude, à peine a-t-il la force de se traîner à sa cabane ; et la première chose qu'il va faire en y entrant sera de s'étendre sur son lit de repos pour dormir et reconquérir les forces dont il aura besoin pour le lendemain. Souvent même cet affaissement du corps semblera s'étendre à l'esprit ; il sera sombre, taciturne, il cessera de rire ou de parler ; à le voir, on le dirait découragé, malheureux. Mais ne croyons pas aux apparences, jamais Jean Rivard n'a été plus heureux ; son corps est harassé, mais son âme jouit, son esprit se complaît dans ces fatigues corporelles. Il est fier de lui-même. Il sent qu'il obéit à la voix de Celui qui a décrété que l'homme « gagnera son pain à la sueur de son front. » Une voix intérieure lui dit aussi qu'il remplit un devoir sacré envers son pays, envers sa famille, envers lui-même ; que lui faut-il de plus pour ranimer son énergie ? C'est en se faisant ces réflexions judicieuses qu'il sent ses paupières se fermer. Un sommeil calme, profond, est la récompense de son travail pénible. S'il rêve, il n'aura que des songes paisibles, riants, car l'espérance aux ailes d'or planera sur sa couche. De ses champs encore nus, il verra surgir les jeunes tiges de la semence qui en couvriront d'abord la surface comme d'un léger duvet, puis insensiblement s'élèveront à la hauteur des souches ; son imagination le fera jouir par anticipation des trésors de sa récolte. Puis, au milieu de tout cela, et comme pour couronner ces rêves, apparaîtra la douce et charmante figure de sa Louise bien-aimée, lui promettant des années de bonheur en échange de ses durs travaux.

Quelques lettres écrites vers cette époque par Jean Rivard à sa gentille amie nous le montrent conservant encore, en dépit de ses rudes labeurs, ses premières dispositions de cœur et d'esprit. En voici des extraits pris au hasard :

« Ma chère Louise.

« C'est aujourd'hui dimanche, mais j'espère que le bon Dieu me pardonnera si je prends quelques moments pour t'écrire ; je suis si occupé toute la semaine !... Si tu savais comme je travaille ! Si tu me voyais, certains jours après ma journée faite, tu ne me reconnaîtrais pas ; je te paraîtrais si affreux que tu dirais : ce n'est pas *lui*. Je ne dis pas cela pour me plaindre : loin de là. D'abord je sais bien que nous sommes sur la terre pour travailler : c'est le Créateur qui l'a voulu ainsi, et ce que l'homme a de mieux à faire c'est d'obéir à cette loi. Mais il est d'autres considérations qui ont aussi beaucoup de force à mes yeux. Celui qui ne travaille pas, en supposant même qu'il serait assez riche pour être ce qu'on appelle indépendant, prive son pays du bien que rapporterait son travail, et quand même celui-là se dirait patriote, je n'en crois rien. On n'est pas patriote en ne faisant rien pour augmenter le bien-être général. En outre, n'ai-je pas plusieurs raisons particulières de travailler, moi ? Que deviendrait ma pauvre mère avec ses dix enfants si je ne pouvais l'aider un peu par la suite ? Puis, comment pourrais-je songer à me marier un jour ? Ces deux dernières considérations suffiraient seules pour me donner du cœur quand même les autres n'existeraient pas.

« Quand j'entends le matin le cri du petit oiseau, il me semble que c'est Dieu qui l'envoie du ciel pour m'éveiller, et je me lève, l'esprit gai, le corps dispos, et prêt à reprendre ma tâche.

« Les alentours de ma cabane commencent à s'éclaircir. Tu pourras dire à ton père que je vais ensemencer quinze arpents de terre neuve ; il connaît cela, il comprendra que je ne dois pas rester les bras croisés.

« Je commence à aimer beaucoup ma nouvelle résidence ; c'est peut-être parce que je l'ai nommée Louiseville, c'est un si beau nom ! Quand nous aurons une église plus tard, je veux que notre paroisse soit sous l'invocation de Sainte Louise. Ce sera encore mieux, n'est-ce pas ?

« C'est le premier printemps que je passe dans les bois. Il me semble que c'est presque aussi gai qu'à Grandpré. Le matin, quand le soleil brille et que les oiseaux chantent sur les branches... oh ! je voudrais que tu pusses assister à ce concert et voir tout cela de tes yeux !...

« Mais en te parlant, ça me fait penser aux fleurs.

« Je trouve quelquefois dans la forêt de jolies petites fleurs, délicates, élégantes, qui par leur fraîcheur, leur modestie, me rappellent le doux et frais visage de ma Louise. J'en deviens tout de suite amoureux ; n'en rougis pas cependant, et surtout n'en sois pas jalouse, car je ne sais pas même leurs noms, et je ne pourrais pas t'en faire la description, tant je suis ignorant, bien que Pierre Gagnon me croie un savant. Je ne connais pas non plus la plupart de ces petits oiseaux que je vois tous les jours et dont les chants charment mes oreilles. Je n'ai rien appris de cela dans mes études de collège, et je le regrette beaucoup. »

Il s'essayait même quelquefois à composer des rimes, tout en avouant ingénument que le langage des dieux ne convenait pas aux défricheurs. Une fois entre autres, en enfermant une petite fleur dans une lettre, il avait mis au bas :

Je t'envoie, ô Louise, une rose sauvage

Cueillie au fond de mon bocage,

Et que j'ai prise pour ta sœur ;

Car de la rose

Fraîche éclose

Ton teint réfléchit la couleur

Louise qui n'était pas d'un goût très sévère en poésie aimait beaucoup ces petits jeux d'esprit. D'ailleurs la femme, indulgente et sensible, est toujours disposée à pardonner en faveur de la bonne intention.

Le mois de juin n'était pas encore écoulé que les quinze arpents de terre défrichés depuis l'arrivée de Jean Rivard à Louiseville se trouvaient complètement ensemencés. Quatre arpents l'avaient été en blé – quatre en avoine – deux en orge – deux en sarrasin – un en pois – un en *patates* – et près de la cabane, c'est-à-dire, à l'endroit destiné à devenir plus tard le jardin, un arpent avait été ensemencé en blé d'inde, rabiolles, choux, poireaux, oignons, carottes, raves, et autres légumes, dont l'usage allait varier un peu la monotonie qui avait régné jusque-là dans les banquets de Louiseville.

En même temps, Jean Rivard avait fait répandre en plusieurs endroits de la graine de mil, afin d'avoir l'année suivante, du foin, ou tout au moins de l'herbe dont l'absence se faisait déplorer chaque jour.

Il n'avait pas oublié non plus de planter tout autour de son futur jardin quelques-uns des meilleurs arbres fruitiers du jardin de sa mère, telles que pruniers, cerisiers, noyers, gadelliers, groseilliers, pommetiers, etc. Il avait même eu l'attention délicate de se procurer secrètement de la graine des plus belles fleurs du jardin du père Routier, afin que si plus tard sa Louise venait embellir de sa présence son agreste demeure, elle retrouvât à Louiseville les fruits et les fleurs qu'elle aimait à Grandpré.

On a vu, il y a un instant, nos défricheurs recueillir soigneusement les cendres du bois consumé dans le cours de leurs travaux. Jean Rivard employa cette cendre dans la fabrication de la potasse.

Il possédait tous les ustensiles nécessaires à cet objet. Mais nous ferons grâce au lecteur de la description des diverses opérations par lesquelles les arbres durent passer avant de devenir potasse, des méthodes adoptées par Jean Rivard pour obtenir la plus grande quantité de cendres possible, des procédés suivis pour leur lessivage, pour l'évaporation des lessives, la fabrication du salin et la transformation du salin en potasse. Contentons-nous de dire que Jean Rivard avait pris le plus grand soin pour que les cendres recueillies fussent pures et sans mélange ; et comme le bois dont elles provenaient se composait en grande partie d'érable, de chêne, d'orme et autres bois durs, elles étaient d'une excellente qualité, et à la grande surprise de notre défricheur, ses quinze arpents d'abattis lui en rapportèrent plus de neuf cents minots qui ne produisirent pas moins de sept barils de potasse.

Jean Rivard avait établi sa *potasserie* sur la levée de la rivière qui coulait à une petite distance de sa cabane. Les services de Lachance furent presque exclusivement consacrés à la fabrication de l'alcali. Quoique Jean Rivard eût déjà disposé de ce produit à un prix au-dessous de sa valeur, comme on l'a vu plus haut, cet item ne fut pas de peu d'importance et lui servit à acquitter une partie de ses dettes.

De concert avec Lachance, il prit bientôt des mesures pour établir une *perlasserie* dès l'année suivante.

XIV

La belle saison dans les bois

Le retour de la belle saison fit éprouver à notre héros qui, comme on le sait déjà, ne pouvait rester sans émotion devant les sublimes beautés de la nature, de bien douces jouissances. Le printemps est beau et intéressant partout, à la ville comme à la campagne, mais nulle part peut-être plus que dans les bois. Là, quand les rayons du soleil, devenus plus ardents, ont fait fondre les neiges, que les ruisseaux commencent à murmurer, et que la sève des arbres montant de la racine jusqu'aux extrémités des branches en fait sortir d'abord les bourgeons, puis les petites feuilles d'un vert tendre qui s'élargissent par degrés jusqu'à ce que les arbres se couvrent entièrement de feuillage, il y a dans la nature une vie, une activité que l'on remarque à peine dans les campagnes ouvertes. Les oiseaux, ces hôtes charmants des bois, reviennent bientôt faire entendre leur doux ramage sous la feuillée. Toute la forêt se montre pleine de jeunesse et de fraîcheur, et chaque matin semble ajouter un nouveau charme aux charmes de la veille.

Bientôt la scène devient encore plus vivante et plus variée. D'immenses *voliers* de canards sauvages traversent le ciel, les uns, comme une longue ligne noire, paraissant effleurer les nuages, d'autres s'envolant dans l'espace, à portée de fusil, tandis que plus tard des *voliers* de tourtes plus nombreux encore font entendre dans leur course comme le bruit d'un ouragan impétueux, et viennent raser le sommet des jeunes arbres. Jean Rivard qui dans ses travaux de défrichement avait toujours le soin de se faire accompagner de son fusil, revenait souvent à sa cabane les épaules chargées de plusieurs douzaines de ce succulent gibier.

Mais c'était le dimanche après-midi que nos trois solitaires se livraient le plus volontiers au plaisir de la pêche et de la chasse. La matinée se passait généralement dans le recueillement ou dans la lecture de quelque chapitre de l'Imitation de Jésus-Christ, petit livre, comme on sait, doublement intéressant pour notre héros, puis tous trois partaient l'un portant le fusil et ses accompagnements, les autres chargés des appareils de pêche.

Peu de temps après son arrivée dans le canton de Bristol, Jean

Rivard avait découvert, à environ deux milles de son habitation, un charmant petit lac qu'il avait appelé le « Lac de Lamartine », parce que cette poétique nappe d'eau lui avait rappelé involontairement l'élégie du grand poète intitulée « Le Lac », et aussi un peu pour faire plaisir à son ami Gustave qui raffolait de Lamartine. Ce lac était fort poissonneux. On y pêchait une espèce de truite fort ressemblante à la truite saumonée, et d'autres poissons moins recherchés, comme l'anguille, la carpe, la perche chaude, la *barbue,* la *barbotte,* etc. Il était de plus fréquenté par une multitude de canards noirs qu'on voyait se promener çà et là, par des poules d'eau, des sarcelles, et autres oiseaux de diverses sortes.

C'est là que nos défricheurs allaient le plus souvent passer leurs heures de loisir. Ils n'en revenaient que tard le soir, lorsqu'ils étaient fatigués d'entendre le coassement des grenouilles et le *beuglement* du *ouaouaron.*

Pendant que le canot glissait légèrement sur les ondes, l'un des rameurs entonnait une de ces chansons anciennes, mais toujours nouvelles qui vont si bien sur l'aviron :

> *En roulant, ma boule, roulant*
> *Nous irons sur l'eau nous y prom... promener*
> *La belle rose du rosier blanc.*

ou quelque autre gai refrain de même espèce, et les deux autres répondaient en ramant en cadence.

Nos pêcheurs rapportaient souvent de quoi se nourrir le reste de la semaine. Pierre Gagnon, qui durant ses veillées d'hiver avait fabriqué une espèce de seine appelée *varveau* qu'il tenait tendue en permanence, ne la visitant que tous les deux ou trois jours, prit même une telle quantité de poisson qu'il put en saler et en faire un approvisionnement considérable pour le carême et les jours maigres.

Mais puisque nous en sommes sur ce sujet, disons quelques mots du régime alimentaire de nos défricheurs.

On a déjà vu que Pierre Gagnon, en sa qualité de ministre de l'Intérieur, était chargé des affaires de la cuisine. Ajoutons que durant son règne comme cuisinier, les crêpes, les grillades, l'omelette au lard, pour les jours gras, le poisson pour les jours maigres, furent pour une large part dans ses opérations culinaires. La poêle à frire fut l'instrument dont il fit le plus fréquent usage, sans doute parce qu'il était le plus expéditif.

Pierre Gagnon regrettait bien quelquefois l'absence de la soupe aux pois, ce mets classique du travailleur canadien, dont il ne goûtait cependant qu'assez rarement, à cause de la surveillance assidue qu'exigeait l'entretien du pot-au-feu. Nos défricheurs se donnèrent néanmoins plus d'une fois ce régal, principalement dans la saison des tourtes.

Un autre régal, en toute saison, c'était la perdrix. Il ne se passait guère de semaine sans que Jean Rivard en abattît quelqu'une, et bien qu'elle ne fût probablement pas accommodée dans toutes les règles de l'art, elle ne laissait pas que d'être un plat fort acceptable. Pierre Gagnon d'ailleurs n'était pas homme à se brûler la cervelle ou à se percer le cœur d'un coup d'épée, comme le fameux cuisinier Vatel, parce qu'un de se ses rôtis n'aurait pas été cuit à point.

Un seul assaisonnement suffisait à tous les mets, et cet assaisonnement ne manquait jamais : c'était l'appétit.

De temps en temps des fruits sauvages, des bluets, des *catherinettes*, des fraises, des framboises et des groseilles sauvages que nos défricheurs cueillaient eux-mêmes dans la forêt, venaient apporter quelque variété dans le menu des repas.

L'eau claire et pure de la rivière de Louiseville suffisait pour étancher la soif.

Depuis l'arrivée de « la Caille », le lait ne manquait pas non plus sur la table rustique ; c'était le dessert indispensable, au déjeuner, au dîner et au souper.

Je devrais dire un mot pourtant de cette bonne Caille qui, bien qu'elle parût s'ennuyer beaucoup durant les premiers temps de son séjour à Louiseville, ne s'en montra pas moins d'une douceur, d'une docilité exemplaires. Elle passait toute sa journée dans le bois, et revenait chaque soir au logis, poussant de temps en temps un beuglement long et plaintif. Elle s'approchait lentement de la cabane, se frottait la tête aux angles, et, si on retardait de quelques minutes à la traire, elle ne craignait pas de s'avancer jusque dans la porte de l'habitation. De fait elle semblait se considérer comme membre de la famille, et nos défricheurs souffraient très volontiers le sans-gêne de ses manières.

J'aurais dû mentionner aussi qu'avec les animaux composant sa caravane du printemps, Jean Rivard avait emporté à Louiseville trois poules et un coq. Ces intéressants volatiles subsistaient en partie de vers, de graines et d'insectes, et en partie d'une légère ration d'avoine qui leur était distribuée tous les deux ou trois jours. Les poules pondaient régulièrement et payaient ainsi beaucoup plus que la valeur de leur pension, sans compter que leur caquet continuel, joint aux mâles accents du coq, parfait modèle de la galanterie, donnaient aux environs de l'habitation un air de vie et de gaieté inconnu jusque là.

Mais puisque j'ai promis de dire la vérité, toute la vérité, je ne dois pas omettre de mentionner ici une plaie de la vie des bois durant la belle saison ; un mal, pour me servir des expressions du fabuliste en parlant de la peste,

Un mal qui répand la terreur
Et que le ciel dans sa fureur
Inventa pour punir les crimes de la terre...

Je veux parler des maringouins.

Durant les mois de mai et de juin, ces insectes incommodes, sanguinaires, suivis bientôt des moustiques et des brûlots, s'attaquent jour et nuit à la peau du malheureux défricheur. C'est un supplice continuel, un martyre de tous les instants, auquel personne n'a pu jusqu'ici trouver de remède efficace. Heureusement que ce fléau ne dure généralement pas au delà de quelques semaines. Vers le temps des grandes chaleurs, les maringouins quittent les bois pour fréquenter les bords des lacs, des rivières ou des marais.

Pierre Gagnon faisait feu et flamme contre ces ennemis fâcheux ; leur seul bourdonnement le mettait en fureur. Dans son désespoir il demandait à Dieu de lui prêter sa foudre pour anéantir ces monstres.

« Laissons faire, disait stoïquement Jean Rivard, nos souffrances n'auront qu'un temps ; dans deux ou trois ans, quand la forêt sera tombée, quand le soleil aura desséché la terre et les marais, cet insecte disparaîtra. C'est un ennemi de la civilisation, tout défricheur doit lui payer tribut ; nos pères l'ont payé avant nous, et ceux de nos enfants qui plus tard s'attaqueront comme nous aux arbres de la forêt le paieront à leur tour. »

XV

Progrès du canton

Une fois les semailles terminées, Jean Rivard et son fidèle Pierre n'étaient pas restés oisifs ; ce qu'on appelle les mortes saisons dans les anciennes paroisses n'existait pas pour eux ; pendant que Lachance fabriquait sa potasse, nos défricheurs s'étaient remis à l'œuvre avec une nouvelle ardeur, et leurs progrès avaient été si rapides qu'avant l'époque des récoltes ils avaient déjà plus de dix arpents d'abattus.

Mais pendant que Jean Rivard se livrait ainsi courageusement à ses travaux de défrichement, à ses opérations agricoles et industrielles, un grand progrès se préparait dans le canton de Bristol.

Dès le commencement du mois de juin, Jean Rivard soupçonna par certaines illuminations qu'il croyait apercevoir au loin, dans l'obscurité de la nuit, qu'il n'était plus seul. En effet, un bon soir, il vit arriver à son habitation un homme d'un certain âge, de mine respectable, qu'il avait remarqué souvent à l'église de Grandpré. Cet homme lui annonça qu'il était établi à une distance d'environ trois milles. Son nom était Pascal Landry.

À l'époque où Jean Rivard avait quitté Grandpré, M. Landry y occupait une petite terre de cinquante arpents qui lui rendait à peine assez pour faire subsister sa famille. Désespérant de jamais augmenter sa fortune et se voyant déjà avec quatre fils en âge de se marier, il avait pris le parti de vendre sa terre de Grandpré, et d'acheter dans le canton de Bristol, où il savait que Jean Rivard avait déjà frayé la route, une étendue de cinq cents acres de terres en bois debout, qu'il avait divisés entre lui et ses quatre enfants. Quoiqu'il n'eût vendu sa propriété de Grandpré que cinq cents louis, il avait pu avec cette somme acheter d'abord ce magnifique lopin de cinq cents acres, puis se procurer toutes les choses nécessaires à son exploitation, et se conserver en outre un petit fonds disponible pour les besoins futurs.

Ses fils tenant à s'établir le plus tôt possible, ne reculaient pour cela devant aucun travail. Tous étaient convenus de travailler d'abord en commun. Le père devait être établi le premier : tous ses enfants devaient l'aider à défricher son lot jusqu'à ce qu'il eut vingt cinq arpents en culture ; l'aîné des fils devait venir ensuite, puis le cadet, et ainsi de suite jusqu'à ce que chacun des garçons fût en état de se marier.

Quoiqu'ils ne fussent arrivés qu'au commencement de juin, ils avaient déjà défriché plus de cinq arpents de terre presque entièrement semés en légumes.

M. Landry apprit en même temps à Jean Rivard que plusieurs autres familles de Grandpré se préparaient à venir s'établir le long de cette route solitaire.

Ces nouvelles réjouirent le cœur de notre héros. Il remercia cordialement M. Landry de sa visite inattendue et le pria de prendre le souper avec lui dans sa modeste habitation. De son côté, M. Landry était tout étonné des progrès que Jean Rivard avait faits en si peu de temps, et de l'apparence de prospérité qu'offrait déjà son établissement. Il le complimenta beaucoup sur son courage, et sur le bon exemple qu'il donnait aux jeunes gens.

Les deux défricheurs se séparèrent les meilleurs amis du monde ; et comme M. Landry inspirait à Jean Rivard la plus haute estime par son air d'honnêteté et ses manières simples, celui-ci se proposa bien de cultiver son amitié et celle de ses fils.

Il ne tarda pas d'ailleurs à recevoir aussi la visite de ces derniers qui, après avoir fait connaissance, venaient souvent, à la *brunante*, fumer la pipe à sa cabane. Ils étaient constamment de bonne humeur et s'amusaient infiniment des drôleries incessantes de Pierre Gagnon qui leur raconta sous mille formes différentes, en y ajoutant chaque jour quelque chose de nouveau, les petites misères et les embarras que son maître et lui avaient eus à essuyer durant les premiers mois qu'ils avaient passés seuls au milieu des bois.

Les relations de voisinage s'établirent facilement.

Lorsqu'il n'eut plus rien autre chose à dire, Pierre Gagnon raconta à sa façon, pour l'amusement de ses voisins, les histoires de Robinson Crusoé, de Don Quichotte et de Napoléon qui l'avaient tant intéressé lui-même durant les longues soirées de l'hiver précédent. Sa mémoire le servait si bien, sa manière de conter était si pittoresque, si originale qu'on l'écoutait toujours avec plaisir.

Pour l'attirer à la maison, la mère Landry avait coutume de lui dire :

« Pierre, si vous continuez à venir nous voir comme ça, je finirai par vous donner ma fille Henriette.

– Ça n'est pas de refus, répondait joyeusement Pierre Gagnon, en faisant un clin d'œil à la grosse Henriette qui partait aussi d'un éclat de rire.

On le voyait toujours à regret reprendre le chemin de Louiseville, et pendant une heure encore on s'amusait à répéter ses drôleries.

Si dans la famille du colon, le courage et la persévérance sont les principales qualités de l'homme, il n'est pas moins important que la gaieté soit la compagne constante de la femme.

Sans ces deux conditions, l'existence du défricheur n'est qu'ennui, misère et pauvreté.

XVI

Une aventure

Mais avant de passer plus loin, disons une aventure qui fit époque dans la vie de Jean Rivard, et que lui-même encore aujourd'hui ne peut raconter sans émotion.

Vers la fin du mois d'août, nos défricheurs étaient occupés à l'abattage d'un épais taillis de merisiers, à quelque distance de leur habitation, lorsqu'il prit fantaisie à Jean Rivard d'aller aux environs examiner l'apparence d'un champ de sarrasin qu'il n'avait ensemencé qu'au commencement de l'été. Il marchait en fredonnant, songeant probablement au résultat de sa prochaine récolte, et à tout ce qui pouvait s'en suivre, lorsqu'il aperçut tout-à-coup à quelques pas devant lui un animal à poil noir qu'il prit d'abord pour un gros chien. Jean Rivard, surpris de cette apparition, s'arrêta tout court. De son côté, l'animal occupé à ronger de jeunes pousses, releva la tête et se mit à le regarder d'un air défiant, quoique ne paraissant nullement effrayé. Jean Rivard put voir alors, aux formes trapues de l'animal, à sa taille épaisse, à son museau fin, à ses petits yeux rapprochés l'un de l'autre, à ses oreilles courtes et velues, qu'il n'avait pas affaire à un individu de l'espèce appelée à si bon droit l'ami de l'homme ; et quoiqu'il n'eût encore jamais vu d'ours, cependant ce qu'il en avait lu et entendu dire ne lui permettait pas de douter qu'il n'eût devant lui un illustre représentant de cette race sauvage et carnassière.

L'ours noir n'est pourtant pas aussi féroce qu'on le suppose généralement ; la mauvaise habitude qu'ont les nourrices et les bonnes d'enfant d'effrayer leurs élèves en les menaçant de la dent des ours fait tort dans notre esprit à la réputation de cet intelligent mammifère. Il est presque inouï qu'un ours noir s'attaque à l'homme ; il ignore ce que c'est que la peur, mais il se borne à se défendre. Ce n'est même que lorsqu'il souffre de la faim et qu'il ne trouve pas de substance végétale à sa satisfaction qu'il se nourrit de chair animale.

Il est toutefois une circonstance où la rencontre de l'ours femelle peut être dangereuse ; c'est lorsqu'elle est accompagnée de ses jeunes nourrissons. Aucun animal ne montre pour ses petits une affection plus vive, plus dévouée. Si elle les croit menacés de quelque danger, elle n'hésite pas un instant à risquer sa vie pour les défendre.

Toute la crainte de Jean Rivard était qu'il n'eût en effet rencontré dans cet animal aux allures pesantes une respectable mère de famille. Dans ce cas, sa situation n'était pas des plus rassurantes. Son anxiété se changea bientôt en alarme lorsqu'il vit remuer dans les broussailles, à une petite distance de l'ours, deux petites formes noires qui s'avancèrent pesamment, en marchant sur la plante des pieds, et qu'il reconnut de suite pour deux jeunes oursons. En voyant ses petits s'approcher, la mère, levant de nouveau la tête, regarda Jean Rivard. Ses yeux flamboyaient. Jean Rivard sentit un frisson lui passer par tout le corps. Ne sachant trop que faire, il résolut d'appeler son compagnon ; il se mit à crier, autant que le lui permettait son émotion : Pierre ! Pierre !... Mais il entendait dans le lointain la voix de son homme chantant à tue-tête, en abattant les branches des arbres :

Quand le diable en devrait mourir
Encore il faut se réjouir. (bis)

Pierre, tout entier à son travail et à sa chanson, n'entendait rien.

La position de Jean Rivard devenait de plus en plus critique. Il songea à son couteau à gaîne et porta timidement la main vers le manche ; mais la mère ourse qui épiait ses mouvements se mit à grogner en laissant voir à notre héros six incisives et deux fortes canines à chacune de ses mâchoires. Quoique brave de sa nature, cette vue le glaça d'effroi ; il sentit ses jambes trembler sous lui. Il n'osait plus faire le moindre mouvement de peur d'attirer l'attention de son ennemie.

L'ourse ne bougeait pas, mais semblait prendre une attitude plus menaçante. Au moindre mouvement de ses petits elle paraissait prête à se lancer sur notre malheureux jeune homme.

Jean Rivard profitait bien des intervalles où Pierre Gagnon cessait de chanter pour l'appeler de nouveau, mais l'émotion altérait tellement sa voix qu'il ne pouvait plus guère se faire entendre à distance. L'idée lui vint de s'éloigner, et pour mieux se tenir sur ses gardes, de partir à reculons ; il se hasarda donc timidement à lever un pied et à le reporter en arrière, tout en tenant ses yeux fixés vers sa redoutable adversaire.

L'ourse ne parut pas d'abord faire attention à ce mouvement.

Il fit encore un autre pas en arrière avec le même bonheur ; il eut une lueur d'espérance ; il pensa involontairement à sa mère et à sa Louise, il lui sembla les voir prier Dieu pour lui, et une larme lui monta aux yeux... Il se croyait déjà sauvé, lorsqu'un des malheureux oursons, voulant probablement jouer et s'amuser comme font la plupart des petits des animaux, s'avisa de courir vers lui. De suite la mère leva la tête en poussant un hurlement affreux qui retentit dans la forêt comme un immense sanglot, et d'un bond se lança vers Jean Rivard... Notre héros crut que sa dernière heure était venue ; il fit son sacrifice, mais, chose surprenante, il reprit une partie de son sang-froid et résolut de faire payer sa vie aussi cher que possible. Il tenait son couteau dans sa main droite ; il l'éleva promptement comme pour se mettre en défense. La mère ourse, mugissant de fureur, se dressa de toute sa hauteur sur ses pieds de derrière, et s'élançant vers Jean Rivard, les narines ouvertes, la gueule béante, cherchait à l'écraser dans ses terribles étreintes. Trois fois Jean Rivard, par son adresse et son agilité, put éviter ses bonds furieux ; pendant quelques secondes, les deux adversaires jouèrent comme à cache-cache. Il y eut une scène de courte durée, mais fort émouvante. L'animal continuait à hurler, et Jean Rivard appelait son compagnon de toute la force de ses poumons. L'intention de Jean Rivard, si l'animal, le saisissant dans ses bras, menaçait de lui broyer le crâne ou de lui déchirer le visage, était de lui plonger hardiment dans la gorge son couteau et son bras ; mais ce dernier embrassement, il désirait le retarder aussi longtemps que possible.

Cependant l'implacable animal avait résolu d'en finir ; il fit un nouveau bond mieux dirigé que les autres, et Jean Rivard sentit s'enfoncer dans ses deux bras les cinq ongles durs et crochus de chacun des pieds de devant de l'animal ; il n'eut pas le temps de se retourner, il roula par terre sous le ventre de l'animal... C'en était fini... Ô mon Dieu ! s'écria-t-il, puis, d'une voix étouffée, il murmura le nom de sa mère et d'autres mots incohérents...

Il allait mourir... quand tout-à-coup un bruit de pas se fait entendre dans les broussailles, et une voix essoufflée s'écrie avec force :

« Tonnerre d'un nom ! » Puis au même moment un coup de hache appliqué adroitement et vigoureusement sur la tête de l'ourse, lui sépare le crâne en deux...

C'était Pierre Gagnon qui venait de sauver la vie à son jeune maître.

Le premier hurlement de la bête avait d'abord attiré son attention ; peu après il avait cru entendre une voix humaine, et il s'était de suite dirigé en courant dans la route qu'avait suivie Jean Rivard.

Il était survenu à temps ; deux minutes plus tard Jean Rivard n'était plus.

Tout son corps était déchiré, ensanglanté, mais aucune blessure n'était grave. Seulement, son système nerveux, était, on le pense bien, dans une agitation extraordinaire.

Dès qu'il fut relevé, se jetant au cou de son libérateur :

« Pierre, s'écria-t-il, c'est à toi que je dois la vie ! que puis-je faire pour te récompenser ?

– Ô mon cher maître, dit Pierre, les larmes aux yeux, puisque vous êtes encore en vie je suis bien assez payé. Tonnerre d'un nom ! moi qui m'amusais là-bas à chanter bêtement, tandis qu'ici vous vous battiez contre un ours. Et dire que si j'étais venu cinq minutes plus tard... tonnerre d'un nom !... quand j'y pense !... »

Et Pierre Gagnon, pour la première fois de sa vie, se mit à pleurer comme un enfant.

Ce ne fut qu'au bout de quelques minutes qu'il remarqua les deux oursons. L'un d'eux voulant grimper dans un arbre cherchait à s'accrocher aux branches avec ses pieds de devant et au tronc avec ceux de derrière ; Pierre l'assomma d'un coup de hache.

L'autre qui était plus petit et ne paraissait pas s'apercevoir de ce qui se passait, s'approcha tout doucement de sa mère étendue morte et dont le sang coulait sur le sol ; il la flaira, puis relevant la tête, il poussa plusieurs petits hurlements ressemblant à des pleurs.

Cette action toucha le cœur de Pierre Gagnon. « Ce petit-là, dit-il, possède un bon naturel, et puisque le voilà orphelin, je vais, si vous le voulez, en prendre soin et me charger de son éducation. »

Jean Rivard y consentit sans peine, et l'habitation de nos défricheurs fut dès ce jour augmentée d'un nouvel hôte.

Tout le reste du jour et toute la journée du lendemain furent employés à lever les peaux, à dépecer les chairs, à préparer la viande et la graisse des deux animaux.

La chair de l'ours est généralement considérée comme plus délicate et plus digestible que celle du porc. Pierre en fuma des parties dont il fit d'excellents jambons. Nos défricheurs firent plusieurs repas copieux avec la chair succulente de l'ourson, surtout avec les pattes, reconnues pour être un mets fort délicat ; ils en envoyèrent plusieurs morceaux à leurs voisins, suivant l'usage invariable des campagnes canadiennes, à l'époque des boucheries. Le reste fut mis dans un saloir.

Quant à la graisse, Pierre la fit fondre en y jetant du sel et de l'eau, après quoi elle remplaça le beurre dans la cuisine de Louiseville, pendant une partie de l'année.

Mais ce que nos défricheurs parurent affectionner davantage, ce fut la peau de la mère ourse. Pierre en fit un lit moelleux pour son jeune maître. La peau du jeune ourson que Pierre Gagnon voulait à toute force conserver pour en abriter le premier petit Rivard qui naîtrait à Louiseville fut sur l'ordre exprès de Jean Rivard, transformée en *casque* d'hiver que son sauveur Pierre Gagnon porta pendant plusieurs hivers consécutifs.

Ces deux peaux ainsi utilisées furent gardées longtemps comme souvenirs d'un événement qui revint bien souvent par la suite dans les conversations de nos défricheurs et se conserve encore aujourd'hui dans la mémoire des premiers habitants du canton de Bristol.

Mais revenons à notre orphelin, ou plutôt à notre orpheline, car il fut bientôt constaté que l'intéressant petit quadrupède appartenait au sexe féminin. Pierre n'hésita pas à la baptiser du nom de « Dulcinée » ; et quoiqu'elle fut loin d'être aussi gentille, aussi élégante que le charmant petit écureuil dont il déplorait encore la fuite, et dont l'ingratitude ne pouvait s'expliquer, il s'y attacha cependant avec le même zèle, tant ce pauvre cœur humain a besoin de s'attacher. Les petits des animaux mêmes les plus laids ont d'ailleurs je ne sais quoi de candide, d'innocent qui intéresse et touche les cœurs même les plus froids. Il lui apportait tous les jours des fruits sauvages ; il lui coupait de jeunes pousses, lui donnait même quelquefois du sucre, ce dont ces animaux sont toujours très friands ; si surtout il découvrait quelque nid de guêpes ou de bourdons, il fallait voir avec quel bonheur il en apportait le miel à sa « Dulcinée ». De tous les mets c'était celui qu'elle savourait avec le plus de gourmandise.

Il lui prit même fantaisie d'instruire sa jeune pupille et de l'initier aux usages de la société. Pierre jouait de la guimbarde, ou comme on dit dans les campagnes, de la *bombarde* ; il n'avait pas oublié d'apporter avec lui cet instrument, et il en jouait assez souvent, bien que Jean Rivard ne lui cachât pas qu'il préférait de beaucoup aux sons qu'il en tirait ceux de la flûte ou du piano. Peu à peu, à force de patience et de soin, il habitua Dulcinée à se tenir debout, et enfin à danser au son de la *bombarde*. Ce fut une grande fête le jour où il réussit à lui faire faire quelques pas cadencés, et s'il en avait eu les moyens il eût sans doute donné un grand bal ce jour-là.

La jeune orpheline était douée des plus belles qualités et en particulier d'une douceur, d'une docilité qui faisait l'étonnement de Jean Rivard. Sous un maître plus habile, elle eût pu sans doute devenir experte en divers arts d'agrément, et particulièrement dans celui de la danse, art pour lequel son sexe, comme on sait, déploie en tout pays une aptitude très prononcée. Mais notre ami Pierre Gagnon ne savait ni valse ni polka ni même de quadrille, et ne pouvait, avec la meilleure volonté du monde, enseigner aux autres ce qu'il ne savait pas lui-même.

Il réussit parfaitement toutefois à s'en faire une amie qui ne l'abandonnait ni jour ni nuit, le suivait partout, au bois, au jardin, à la rivière, et montrait pour lui l'affection, l'obéissance et les autres qualités qui distinguent le chien.

XVII

La récolte

Je te salue, ô saison fortunée,
Tu viens à nous de pampres couronnée
Tu viens combler les vœux des laboureurs.
La moisson mûre, immobile, abondante,
Appesantit sa tête jaunissante ;
Aucun zéphyr ne vole dans les airs :
Si quelque vent fait sentir son haleine.
Des vagues d'or se roulent dans la plaine.
Léonard.

Ceux-là seuls qui tirent leur subsistance des produits de la terre comprendront avec quelle douce satisfaction, quelle indicible jouissance Jean Rivard contemplait ses champs de grain, lesquels sous l'influence des chauds rayons du soleil d'été, prenaient de jour en jour une teinte plus jaunissante. Depuis l'époque des semailles jusqu'à celle de la récolte chaque jour avait été pour lui plein de charme et d'intérêt. Quand le sol vierge s'était couvert des jeunes tiges de la semence, comme d'un tapis de verdure, Jean Rivard avait senti naître en son cœur des émotions ignorées jusqu'alors. Ce qu'il éprouvait déjà le dédommageait au centuple de tous ses labeurs passés.

Dans ses heures de repos, son plus grand plaisir était de contempler, assis sur un tronc d'arbre, au milieu de son champ, les progrès merveilleux de la végétation. Plus tard, quand les épis, dépassant la tête des souches, atteignirent presque à la hauteur d'un homme, il goûtait encore un bonheur infini à contempler cette mer, tantôt calme comme un miroir, tantôt se balançant en ondoyant au gré d'une brise légère.

Il ne fut pas néanmoins sans éprouver, durant cet intervalle de deux ou trois mois, certaines inquiétudes sur le sort de sa récolte. La mouche à blé qui, depuis plusieurs années déjà, ravageait les anciennes campagnes du Bas-Canada, pouvait bien venir s'abattre au milieu des champs de Louiseville ; – la grêle qui quelquefois, en moins d'une minute, écrase et ruine les plus superbes moissons ; – la gelée qui, même dans les mois d'août et de septembre accourant des régions glacées, vient inopinément, au milieu de la nuit, *rôtir* de magnifiques champs de grains et de légumes, et détruire en quelques heures le fruit de plusieurs mois de travail ; – les incendies qui, allumés au loin, dans un temps de sécheresse, ou par un vent violent, s'élancent tout à coup à travers les bois et, comme le lion rugissant dont parle le prophète, dévorant tout sur leur passage, répandent au loin l'alarme et la désolation – tous ces fléaux dévastateurs qui viennent, hélas ! trop souvent déjouer les espérances des malheureux colons, pouvaient bien venir chercher des victimes jusqu'au milieu même du canton de Bristol.

Jean Rivard ne se croyait pas plus qu'un autre à l'abri de ces désastres inattendus ; dès le moment où il avait embrassé la carrière du défricheur, il s'était dit qu'elle ne serait pas exempte de mécomptes, de traverses, d'accidents, et il s'était préparé à subir avec courage et résignation tous les malheurs qui pourraient l'atteindre.

Mais, grâce à la providence qui semblait prendre notre héros sous sa protection, ses quinze arpents de grains et de légumes parvinrent à maturité sans aucun accident sérieux.

Quand le moment arriva où les blonds épis durent tomber sous la faucille, ce fut presque un amusement pour Jean Rivard et ses deux hommes de les couper, les engerber et les mettre en grange.

Aujourd'hui l'usage de faucher le grain au *javelier* est devenu presque général dans les campagnes canadiennes. Mais dans les champs nouvellement déboisés, cette pratique expéditive ne saurait être adoptée, à cause des souches, racines, rejetons ou arbustes qui font obstacle au travail de la faux.

La grange avait été construite, comme les cabanes des colons, au moyen de pièces de bois superposées et enchevêtrées les unes dans les autres. Nos défricheurs avaient eu le soin, dès le moment où ils avaient commencé à abattre les arbres de la forêt, de mettre de côté tous ceux qui pouvaient être utiles à l'objet en question. Le manque de chemin ne permettant pas d'aller chercher dans les villages voisins les planches et madriers nécessaires à la construction, il avait fallu, au moyen de ces grandes scies à bras appelées « scies de long » fendre un certain nombre des plus gros arbres, pour se procurer les madriers dont l'aire ou la batterie devait être construite, et les planches nécessaires à la toiture de l'édifice. Ce travail avait été exécuté avec zèle et diligence par les deux hommes de Jean Rivard. Quant au bardeau destiné à la couverture, il avait été préparé à temps perdu, dans les jours pluvieux du printemps et de l'été.

Le père Landry et ses enfants s'étaient empressés d'offrir leurs services à Jean Rivard pour *tailler* et lever la grange. En quelques jours on avait érigé un bâtiment de vingt-cinq pieds de long sur vingt de large, dont l'aspect, il est vrai, n'avait rien de fort élégant, mais qui pouvait suffire aux besoins de son propriétaire, pendant au moins trois ou quatre ans.

C'était aussi dans le même bâtiment que les animaux devaient être mis à l'abri du froid et des intempéries des saisons.

Le transport des gerbes à la grange dut être effectué à l'aide des deux bœufs et d'une grossière charrette confectionnée pour la circonstance.

Il ne faut pas croire cependant que la construction de ce véhicule eût été d'une exécution facile. La confection des ridelles et des limons n'avait offert, il est vrai, aucune difficulté remarquable, mais il n'en avait pas été ainsi des deux roues, lesquelles avaient dû être faites, tant bien que mal, au moyen de pièces de bois, de trois ou quatre pouces d'épaisseur, sciées horizontalement à même un tronc d'arbre de vaste circonférence. Un essieu brut avait été posé au centre de chacune de ces roulettes ; le reste du charriot reposait sur l'essieu. Cette charrette, il faut l'avouer, n'était pas un modèle d'élégance et n'aurait certainement pas obtenu le prix à l'exposition universelle ; mais telle que construite, elle pouvait rendre au moins quelque service. D'ailleurs, dans les commencements de la carrière du défricheur, c'est à peine s'il se passe un jour sans qu'il soit appelé à faire, comme dit le proverbe, de nécessité vertu.

Notre héros, après divers essais plus ou moins heureux, était devenu tout aussi habile que Pierre Gagnon à façonner et fabriquer les objets qui pouvaient lui être utiles. On a dit depuis longtemps que le besoin est l'inventeur des arts, et rien ne prouve mieux cette vérité que la vie du défricheur canadien. En peu de temps, Jean Rivard s'était mis au fait de tout ce qui concerne le travail du bois et son application aux usages domestiques et usuels ; et il avait coutume de dire en plaisantant qu'avec une scie, une hache, une tarière et un couteau, un homme pouvait changer la face du monde.

« Tonnerre d'un nom ! mon bourgeois, disait souvent Pierre Gagnon : Robinson Crusoé et Vendredi n'étaient que des mazettes à côté de nous deux ! »

Il faut que le lecteur me permette d'empiéter sur l'avenir pour énoncer un fait de la plus grande importance dans notre récit : je veux parler du résultat de cette première récolte de Jean Rivard.

Les quatre arpents de terre qu'il avait semés en blé lui rapportèrent quatre-vingt minots, – ses quatre arpents d'avoine, cent soixante, – ses deux arpents d'orge, quarante, – ses deux arpents de sarrasin, soixante, – son arpent de pois, dix, – son arpent de patates, deux cents, – et son champ de choux de siam, rabiolles et autres légumes donna un rendement de plus de mille minots.

N'était-ce pas un magnifique résultat ?

Hâtons-nous de dire qu'après avoir mis en réserve ce qu'il fallait pour les besoins de sa maison ainsi que pour les semailles de l'année suivante, Jean Rivard put vendre pour plus de trente louis de grains et de légumes. La potasse qu'il avait fabriquée depuis le printemps devait lui rapporter de trente à quarante louis. N'oublions pas non plus de mettre en ligne de compte que sa propriété, grâce à ses travaux durant l'année, se trouvait déjà valoir au moins trois fois autant qu'elle lui avait coûté.

Qu'on fasse l'addition de tout cela, et on verra que Jean Rivard devait être fier et satisfait du résultat de son année.

Les diverses opérations du coupage des grains, de l'engerbage, de l'engrangement, du battage, du vannage, de la vente et du transport chez le marchand ne s'exécutèrent pas, il est vrai, en aussi peu de temps que j'en mets à le dire ; mais des détails minutieux n'auraient aucun intérêt pour la généralité des lecteurs et seraient fastidieux pour un grand nombre. Qu'il suffise de savoir que le résultat qui vient d'être énoncé est de la plus scrupuleuse exactitude et pourrait même être vérifié au besoin.

Une autre chose qu'il ne faut pas omettre de prendre en considération c'est que les profits de Jean Rivard sur la vente de sa récolte auraient été beaucoup plus élevés, s'il n'eût été forcé, par suite du manque de chemin, d'en disposer à un prix bien au-dessous du prix réel.

Arrêtons-nous encore un instant devant cette merveilleuse puissance du travail. Qu'avons-nous vu ? Un jeune homme doué, il est vrai, des plus belles qualités du cœur, du corps et de l'esprit, mais dépourvu de toute autre ressource, seul, abandonné pour ainsi dire dans le monde, ne pouvant par lui-même rien produire ni pour sa propre subsistance ni pour celle d'autrui... Nous l'avons vu se frappant le front pour en faire jaillir une bonne pensée, quand Dieu, touché de son courage, lui dit : vois cette terre que j'ai créée ; elle renferme dans son sein des trésors ignorés ; fais disparaître ces arbres qui en couvrent la surface ; je te prêterai mon feu pour les réduire en cendres, mon soleil pour échauffer le sol et le féconder, mon eau pour l'arroser, mon air pour faire circuler la vie dans les tiges de la semence...

Le jeune homme obéit à cette voix et d'abondantes moissons deviennent aussitôt la récompense de ses labeurs.

Qu'on se représente ses douces et pures jouissances en présence de ces premiers fruits de son travail ! Sans moi, se dit-il à lui-même, toutes ces richesses seraient encore enfouies dans le sein de la terre ; grâce à mes efforts, non seulement je ne serai plus désormais à charge à personne, non seulement je pourrai vivre du produit de mes sueurs, et ne dépendre que de moi seul et du Maître des humains, mais d'autres me seront redevables de leur subsistance ! Déjà, par mon travail, je vais être utile à mes semblables !...

Ô jeunes gens pleins de force et d'intelligence, qui passez vos plus belles années dans les bras de l'oisiveté, qui redoutez le travail comme l'esclave redoute sa chaîne, vous ne savez pas de quel bonheur vous êtes privés ! Cette inquiétude vague, ces ennuis, ces dégoûts qui vous obsèdent, cette tristesse insurmontable qui parfois vous accable, ces désirs insatiables de changements et de nouveautés, ces passions tyranniques qui vous rendent malheureux, tout cela disparaîtrait comme par enchantement sous l'influence salutaire du travail. Il existe au-dedans de chaque homme un feu secret destiné à mettre en mouvement toute la machine qui compose son être ; ce feu secret qui, comprimé au-dedans de l'homme oisif, y exerce les ravages intérieurs les plus funestes et produit bientôt sa destruction totale, devient chez l'homme actif et laborieux la source des plus beaux sentiments, le mobile des plus nobles actions.

XVIII

Une voix de la cité

Troisième lettre de Gustave Charmenil.

Mon cher ami,

« L'histoire de ta récente aventure m'a beaucoup intéressé, et je te félicite sincèrement d'avoir échappé au danger qui te menaçait : je t'avoue que j'ai tremblé un instant pour ta vie, et si je n'avais bien reconnu ton écriture j'aurais presque été tenté de te croire mort. Je ne te souhaite pas souvent des aventures comme celle-là.

« Tu t'imagines que tout ce que tu me racontes de tes travaux, de tes procédés d'abattage, de brûlage, d'ensemencement, ne peut que me faire bâiller ; au contraire, mon ami, tous ces détails m'intéressent vivement ; tu peux m'en croire. Je n'ai pas encore eu le temps de faire une longue étude de la politique, mais j'en suis déjà depuis longtemps venu à la conclusion que les hommes les plus utiles parmi nous sont précisément les hommes de ta classe, c'est-à-dire les travailleurs intelligents, courageux, persévérants, qui ne tirent pas comme nous leurs moyens d'existence de la bourse des autres, mais du sein de la terre ; qui ne se bornent pas à consommer ce que les autres produisent, mais qui produisent eux-mêmes. Oui, mon ami, quand je songe aux immenses ressources que possède notre pays, je voudrais voir surgir de tous côtés des milliers de jeunes gens à l'âme ardente, forte, énergique comme la tienne. En peu d'années, notre pays deviendrait un pays modèle, tant sous le rapport moral que sous le rapport matériel.

« Ma dernière lettre t'a chagriné, me dis-tu : tu crois que je ne suis pas heureux. Quant à être parfaitement heureux, je n'ai certainement pas cette prétention ; mais je ne suis pas encore tout à fait découragé. Ce qui me console dans ma pénurie et mes embarras, c'est que je ne crois pas encore avoir de graves reproches à me faire.

« Venons-en maintenant aux conseils que tu me donnes : – « Tu n'es pas fait pour le monde, me dis-tu, et à ta place je me ferais prêtre, j'irais évangéliser les infidèles. » – Ah ! mon cher ami, je te remercie bien de la haute opinion que tu as de moi, mais l'idée seule des devoirs du prêtre m'a toujours fait trembler. À mes yeux, le prêtre, et en particulier le missionnaire qui va passer les belles années de sa jeunesse au milieu des peuplades barbares, non pour faire fortune comme les chercheurs d'or ou les traitants, ni pour se faire un nom comme les explorateurs de contrées nouvelles, mais dans le seul but de faire du bien, de faire connaître et adorer le vrai Dieu, tout en répandant les bienfaits de la civilisation dans des contrées lointaines, – qui pour cela se résigne courageusement à toutes sortes de privations physiques et morales, se nourrissant de racines, couchant en plein air ou au milieu des neiges, n'ayant jamais un cœur ami à qui confier ses souffrances – celui-là, dis-je, est suivant moi, plus digne du titre de héros que tous ceux que l'histoire décore pompeusement de ce nom ; ou plutôt ce titre ne suffit pas, car le vrai prêtre est pour ainsi dire au-dessus de l'humanité, puisqu'il est l'intermédiaire entre Dieu et les hommes.

« Ne sois donc pas surpris si je recule à la pensée d'embrasser cet état. Peut-être aussi as-tu le tort, mon cher ami, de me mesurer un peu à ta taille, de me supposer un courage à la hauteur du tien. Plût à Dieu qu'il en fût ainsi ! Mais je me connais trop bien ; je sais trop toutes mes faiblesses, et je préfère encore végéter et souffrir que de m'exposer à déshonorer le sacerdoce par une froide indifférence ou de coupables écarts.

« Mais j'ai une grande nouvelle à t'apprendre : ma *Belle inconnue* ne m'est plus inconnue ; je sais son nom, elle m'a parlé, elle m'a dit quelques mots, et ces mots retentissent encore harmonieusement dans mes oreilles. Ne vas pas m'accuser d'inconséquence et dire que j'ai failli à mes bonnes résolutions ; la chose s'est faite d'elle-même, et sans qu'il y ait eu de ma faute. Voici comment :

« Il y a eu dernièrement un grand bazar à Montréal. Tu as souvent entendu parler de bazars, tu en as même sans doute lu quelque chose dans les gazettes, mais tu ne sais peut-être pas au juste ce que c'est. On pourrait définir cela une conspiration ourdie par un certain nombre de jolies femmes pour dévaliser les riches au profit des pauvres. Les dames qui peuvent donner du temps à la couture, à la broderie, et qui se sentent dans le cœur un peu de compassion pour les malheureux, travaillent souvent pendant deux ou trois mois pour pouvoir offrir à un bazar deux ou trois articles de goût qui seront achetés à prix d'or par quelque riche bienfaisant. C'est, suivant moi, une excellente institution. Bon nombre de jolies citadines, – je ne parle pas de celles dont la vie, suivant certains malins scribes toujours prêts à médire, se passe à « s'habiller, babiller et se déshabiller », mais de celles mêmes qui étant très bonnes, très sensibles, très vertueuses ont cependant été élevées dans l'opulence et l'oisiveté – se trouveraient peut-être sans cela à ne savoir trop que répondre au Souverain Juge au jour où il leur demandera ce qu'elles ont fait sur la terre pour le bien de l'humanité.

« Eh bien ! il faut te dire que ma *Belle inconnue* était à ce bazar ; j'en étais sûr, elle est de toutes les œuvres charitables, et il faut avouer que sa coopération n'est pas à dédaigner ; il doit être difficile de résister à un sourire comme le sien.

« Il me prit donc une envie furieuse, irrésistible, d'y aller faire une visite. Je te confierai bien volontiers – puisqu'entre amis il faut être franc – que c'était pour le moins autant dans le but de voir ma belle inconnue que pour faire la charité. Tu sais déjà que mes finances ne sont pas dans l'état le plus florissant. J'avais justement deux écus dans ma bourse ; c'était tout ce que je possédais au monde, en richesse métallique. Je résolus d'en sacrifier la moitié. J'allais donner trente sous d'entrée et acheter quelque chose avec l'autre trente sous. Si je pouvais, me disais-je à moi-même, obtenir quelque objet fabriqué de ses mains ! Et là-dessus je bâtissais des châteaux en Espagne.

« Je me rendis donc, un bon soir, au bazar en question. La salle, magnifiquement décorée, était déjà remplie d'acheteurs, d'acheteuses, de curieux, de curieuses ; il y avait de la musique, des rafraîchissements ; les tables était couvertes d'objets de luxe, d'articles de toilette ou d'ameublement, de joujoux, en un mot de tout ce qui pouvait tenter les personnes généreuses et même les indifférents.

« Au milieu de toute cette foule j'aperçus de loin ma belle inconnue. Ô mon ami, qu'elle était belle ! Jusque-là je ne l'avais vue que coiffée (et il faut dire que les *chapeaux* ne sont pas toujours un ornement) ; elle avait une magnifique chevelure, et sa figure, vue ainsi le soir dans une salle resplendissante de lumières, dépassait encore en beauté tout ce qu'elle m'avait paru jusqu'alors.

« Il me semblait éprouver en la voyant ce sentiment d'amour et d'admiration que ressentait Télémaque pour la belle nymphe

Eucharis à la cour de la déesse Calypso. Tu vois que je n'ai pas encore oublié mon Télémaque. Elle était sans cesse entourée ou suivie d'une foule de jeunes galants qui se disputaient ses sourires et ses regards. Bientôt je l'aperçus qui faisait le tour de la salle, avec un papier à la main, accompagnée de monsieur X***, un de nos premiers avocats, qui paraissait être assez en faveur auprès d'elle.

« À mesure qu'elle avançait vers l'endroit où j'étais, le cœur me battait davantage. Enfin elle arriva bientôt si près de moi que j'entendis le frôlement de sa robe ; ma vue se troubla... je ne voyais plus rien... seulement j'entendis son cavalier lui dire :

« Mademoiselle Du Moulin ! monsieur *de* Charmenil !

« Je saluai machinalement, sans regarder, je tremblais comme une feuille.

« L'avocat m'expliqua, en riant probablement de ma figure pâle et de mon air déconcerté, que mademoiselle Du Moulin voulait tirer à la loterie une petite tasse à thé en porcelaine.

« S'apercevant sans doute de mon trouble et voulant me mettre plus à l'aise, ma belle inconnue (car c'était bien elle qui s'appelait mademoiselle Du Moulin) dit alors d'un ton que je n'oublierai jamais :

« Oh ! je suis sûre que M. de Charmenil n'aime pas les tasses *athées*, en appuyant sur le mot *athées*.

« Je ne compris pas le jeu de mot.

« La mise était de trente sous. J'étais tellement hors de moi que je donnai non seulement mon trente sous, mais aussi mon autre écu que j'avais dans ma poche. Je laissai presque aussitôt la salle du bazar pour retourner chez moi. Une fois dans la rue je repris un peu mon sang-froid, et me mis à songer à la phrase que m'avait adressée ma déesse :

« M. de Charmenil, j'en suis sûre, n'aime pas les tasses à thé (athées.)

« Je compris enfin le calembour. Mais, nouvelle perplexité : que voulait-elle dire ? Est-ce qu'elle m'aurait remarqué par hasard à l'église, et qu'elle faisait allusion à mes sentiments religieux ? Cette question m'intriguait beaucoup, et je passai plusieurs jours à la discuter avec moi-même. J'en serais encore peut-être à disséquer chaque mot de la phrase en question si un nouvel incident ne fût venu me faire oublier jusqu'à un certain point le premier. Imagine-toi qu'environ huit jours après le jour du bazar je reçus à ma maison de pension un petit billet ainsi conçu :

Madame Du Moulin prie M. de Charmenil de lui faire l'honneur de venir passer la soirée chez elle mardi le 10 courant.

« Cette invitation faillit me faire perdre la tête. Je fus tout le jour à me poser la question : irai-je ou n'irai-je pas à ce bal ? Je ne dormis pas de la nuit suivante ; mais je me levai le matin bien décidé d'accepter l'invitation de madame Du Moulin, et je répondis en conséquence. Croirais-tu que j'ai fait la folie de m'endetter d'une assez forte somme chez un tailleur pour pouvoir m'habiller convenablement ?

« J'ai donc assisté à la soirée en question. C'était ce qu'on appelle un grand bal, le premier auquel j'aie assisté dans ma vie, et c'était hier au soir ; tu vois que je n'ai pas encore eu le temps d'en rien oublier.

« Suivant l'usage, je me rendis assez tard dans la soirée ; ces bals ne s'ouvrent généralement que vers dix heures, c'est-à-dire, à l'heure où les honnêtes gens se mettent au lit.

« Les danses étaient déjà commencées. Les salles et les passages étaient remplis d'invités et d'invitées ; on ne pouvait circuler qu'avec peine.

« Je ne connaissais personne ; mais heureusement que mademoiselle Du Moulin m'aperçut, et qu'elle fut assez bonne pour s'avancer vers moi et m'offrir de me présenter à monsieur et madame Du Moulin. Je fus un peu moins timide cette fois, quoique le cœur me tremblât encore bien fort.

« Le coup d'œil était magnifique. L'éclat des lampes et des bougies, les vases de fleurs artistement disposés sur les corniches, les glaces qui couvraient les murs et dans lesquels se reflétaient les toilettes des danseuses, la richesse et la variété de ces toilettes, tout semblait calculé pour éblouir les yeux. C'était quelque chose de féérique, au moins pour moi qui n'avais encore rien vu en ce genre. Quelques-unes des danseuses portaient sur leurs personnes, tant en robes, dentelles, rubans, qu'en fleurs, plumes, bijoux, etc., pour une valeur fabuleuse. Je ne jurerais pas que les mémoires de la marchande de mode et du bijoutier eussent été complètement acquittés, mais ce n'est pas là la question. Les rafraîchissements abondaient, et des vins, des crèmes, des glaces, etc., furent servis à profusion durant tout le cours de la soirée.

« Grâce à la fermeté de madame Du Moulin, aucune valse ni polka ne fut dansée, au grand désappointement d'un certain nombre de jeunes galants à moustaches qui ne trouvaient pas les contredanses assez émouvantes.

« Heureusement que dans ces grands bals les danseurs ne manquent pas et qu'on peut sans être remarqué jouer le rôle de spectateur ; car à mon grand regret je ne sais pas encore danser. À dire le vrai, je ne pouvais guère contribuer à l'amusement de la soirée ; je ne puis même pas m'habituer à ce qu'on appelle l'exercice de la galanterie. En causant avec des dames, même avec des jeunes filles de dix-huit, vingt, vingt-cinq ans, j'ai la manie de leur parler comme on parle à des personnes raisonnables, tandis que le bon goût exige qu'on leur parle à peu près comme à des enfants, et qu'on se creuse le cerveau pendant une heure, s'il le faut, pourvu qu'on en fasse sortir une parole aimable ou flatteuse.

« En général il est bien connu que ces grands bals sont beaucoup moins amusants que les petites soirées intimes, et je te dirai en confidence que le bal de madame Du Moulin ne me paraît pas avoir fait exception à la règle. Sur cent cinquante à deux cents invités, à peine paraissait-il s'en trouver cinq ou six qui fussent sur un pied d'intimité ; un bon nombre semblaient se rencontrer là pour la première fois. Je remarquai que plusieurs dames passèrent toute la nuit assises à la même place, sans dire un mot à personne, ou comme on dit maintenant, à faire tapisserie. Quelques-unes, il est vrai, préféraient peut-être rester ainsi dans leur glorieux isolement que de se trouver en tête-à-tête avec un marchand, un étudiant ou un commis de bureau ; car il faut te dire, mon cher, qu'il existe dans la société de nos villes certains préjugés, certaines prétentions aristocratiques qui pourraient te paraître assez étranges. Telle grande dame, fille d'un négociant ou d'un artisan enrichi, ne regardera que d'un air dédaigneux telle autre dame qui ne sera pas alliée comme elle, par son mari, à telle ou telle famille. Il serait assez difficile de dire sur quel fondement reposent ces distinctions ; ce ne peut être sur le degré d'intelligence ou d'éducation, car, avec les moyens d'instruction que nous avons aujourd'hui, les enfants des classes professionnelles, commerciales ou industrielles ont à peu près les mêmes chances de perfectionnement intellectuel ; ce ne peut être non plus sur la naissance, car la plus parfaite égalité existe à cet égard dans notre jeune pays.

« On dit qu'aux États-Unis, le pays démocratique par excellence, ces prétentions existent d'une manière beaucoup plus ridicule que parmi nous.

« Ce sont donc de ces petites misères qui se rencontrent en tous pays et dans toutes les sociétés. Vous êtes heureux cependant à la campagne d'ignorer tout cela. Les seules distinctions qui existent parmi vous sont fondées sur le degré de respectabilité, sur l'âge et le caractère, comme le prescrivent d'ailleurs la raison et le bon sens.

« Sais-tu à quoi je songeais principalement en regardant cette foule joyeuse sauter, danser, boire, s'amuser ? Je songeais à toi, mon cher ami ; je songeais à tous ceux qui comme toi vivent dans les bois, exposés à toutes sortes de privations physiques et morales, travaillant jour et nuit pour tirer leur subsistance du sein de la terre. J'étais d'abord porté à m'apitoyer sur votre sort ; mais en y réfléchissant je me suis dit : quel bonheur après tout peut-on trouver dans ces amusements frivoles ? La plupart de ceux qui paraissent aujourd'hui si gais, seront probablement demain beaucoup moins heureux que mon ami Jean Rivard. Tu n'auras peut-être jamais l'occasion, durant ta vie, d'assister à aucune de ces grandes fêtes mondaines ; mais console-toi, tu ne perdras pas grand-chose. Parmi les hommes sérieux qui assistaient au bal d'hier soir, ceux qui ne jouaient pas aux cartes paraissaient mortellement s'ennuyer. Les plus heureux dans tout cela me semblent être les jeunes filles qui peuvent dire après la soirée : je n'ai pas manqué une seule danse.

« Tu vois par là que je ne suis pas fort épris des bals. En effet je suis un peu, je te l'avoue, du sentiment de cet écrivain moraliste qui prétend que les bals ont été inventés pour le soulagement des malheureux, et que ceux qui se plaisent dans leur intérieur domestique, ou dans la compagnie de quelques amis intimes, ont tout à perdre en y allant.

« Je ne voudrais pas prétendre néanmoins m'être ennuyé à la soirée de madame Du Moulin ; quand je n'aurais eu aucun autre sujet d'amusement, que la présence de ma ci-devant belle inconnue, cela seul eût suffi pour m'empêcher de compter les heures. Quel plaisir je goûtais à la voir danser ! sa démarche légère et modeste, ses mouvements gracieux, et jusqu'à son air d'indifférence, tout me charmait chez elle.

« Mais ce qui me ravit plus que tout le reste, ce fut de l'entendre chanter, en s'accompagnant sur le piano. Tu sais que j'ai toujours été fou de la musique et du chant ! Eh bien ! imagine-toi la voix la plus douce, la plus harmonieuse, et en même temps la plus flexible et la plus expressive qui se puisse entendre ! Je pouvais facilement saisir et comprendre chaque mot qu'elle prononçait, chose étonnante de nos jours où il semble être de mode d'éviter autant que possible d'être compris. Il est même arrivé à ce sujet un quiproquo assez comique. Une demoiselle venait de chanter avec beaucoup de force et d'emphase la chanson

Salut à la France

etc., etc., etc.,

elle avait même eu beaucoup de succès, et plusieurs personnes s'empressaient de la féliciter, lorsqu'un jeune galant s'approchant : Maintenant, dit-il en s'inclinant, mademoiselle nous fera-t-elle le plaisir de chanter quelque chose en français ?

« Imagine-toi l'envie de rire des assistants ; il croyait tout bonnement qu'elle venait de chanter une chanson italienne.

« Mademoiselle Du Moulin m'a paru être aussi une musicienne consommée.

« Je ne te parlerai pas du souper : c'était, mon cher, tout ce qu'on peut imaginer de plus splendide. Le prix des vins, des viandes, salades, pâtisseries, crèmes, et gelées de toutes sortes consommés dans cette circonstance eût certainement suffi à nourrir plusieurs familles de colons durant toute une année.

« Ce n'était pas de bon goût d'avoir une idée comme celle-là dans une telle circonstance. Mais, malgré moi, elle me poursuivait, m'obsédait et me faisait mal au cœur.

« Vers la fin du bal, voyant mademoiselle Du Moulin seule dans un coin, je me hasardai à faire quelques pas dans cette direction. Aussitôt qu'elle m'aperçut, elle fut la première à m'adresser la parole sur un ton engageant :

– Est-ce que vous ne dansez pas, monsieur ?

– Mademoiselle, je regrette de vous dire que je n'ai pas cet avantage ; je le regrette d'autant plus que cela me prive d'un moyen de me rendre agréable auprès des dames.

– Oh ! mais, monsieur, les dames ne sont pas aussi frivoles que vous semblez le croire, et il n'est pas difficile de les intéresser autrement ; beaucoup d'autres talents sont même à leurs yeux préférables à celui-là. Par exemple, un grand nombre de dames de mes amies préfèrent la poésie à la danse, et au reste des beaux arts.

« À ce mot de poésie je ne pus m'empêcher de rougir ; elle s'en aperçut et ajouta en souriant :

– Je ne veux faire aucune allusion personnelle, ajouta-t-elle, quoique j'aie entendu dire plus d'une fois que M. de Charmenil faisait de jolis vers.

– Vraiment, mademoiselle, vous me rendez tout confus : comment a-t-on pu vous apprendre que je faisais des vers, lorsque je suis à cet égard aussi discret que l'est une jeune fille à l'égard de ses billets doux ? Mais, puisque vous l'avez dit, je ne vous cacherai pas qu'en effet je me permets quelquefois de faire des rimes, non pour amuser le public, mais pour me distraire l'esprit et me soulager le cœur.

– Pourquoi donc alors ne les publiez-vous pas ? Vous pourriez vous faire un nom. C'est une si belle chose que la gloire littéraire !...

– Mais, mademoiselle, dans notre pays, celui qui voudrait s'obstiner à être poète serait à peu près sûr d'aller mourir à l'hôpital. Ce n'est pas une perspective bien amusante. En outre, mademoiselle, que pourrais-je dire qui n'ait été dit cent fois, et beaucoup mieux que je ne puis le dire ? Je suis bien flatté de la haute opinion que vous avez de moi ; mais vous pouvez m'en croire, si je me lançais dans cette carrière, je ne pourrais être qu'un pâle imitateur, et ceux-là, vous le savez, sont déjà assez nombreux. Je ne veux pas être du nombre de ces poètes qui suent sang et eau pour faire des rimes, et passer comme ils disent, à la postérité, tandis que leur réputation n'ira probablement jamais au-delà des limites de leur canton.

– Mais, si tous disaient comme vous, monsieur, personne n'écrirait.

– Ce ne serait peut-être pas un grand malheur après tout. Notre siècle ne peut guère se vanter, il me semble, de ses progrès en littérature, et je crois que la lecture des grandes œuvres des siècles passés est encore plus intéressante, et surtout plus profitable que celle de la plupart des poètes et littérateurs modernes.

– Mais est-ce que vous n'aimez pas Chateaubriand et Lamartine ? Ce sont mes auteurs favoris.

– Au contraire, je les aime et les admire beaucoup, au moins dans certaines de leurs œuvres, mais...

« J'allais répondre plus longuement lorsque M. X*** l'avocat qui accompagnait mademoiselle Du Moulin au bazar, vint la prier pour une contredanse.

« Elle se leva lentement et je crus voir – peut-être me suis-je fait illusion – qu'elle s'éloignait à regret.

« Il me semble que j'avais une foule de choses à lui dire ; le cœur me débordait ; mais il était déjà quatre heures du matin et je pris le parti de me retirer.

« Le goût de ma ci-devant belle inconnue pour la littérature et la poésie me la montrait sous un nouveau jour. Je m'étais toujours dit que je n'aimerais jamais qu'une femme qui, sans être une savante, serait au moins en état de me comprendre, et partagerait jusqu'à un certain point mes goûts littéraires et philosophiques ; je trouvais encore cette femme dans mademoiselle Du Moulin.

« Ne sois donc pas surpris si son image est plus que jamais gravée dans mon esprit, et si pendant les deux ou trois heures que j'ai pu sommeiller à mon retour, sa figure angélique est venue embellir mes songes.

« Mais, ô mon cher ami, maintenant que je réfléchis froidement et que je songe à ma position, je me demande : à quoi bon ? à quoi puis-je prétendre ? que peut-on attendre de moi ?

« Encore une fois, mon ami, qu'il est triste d'aimer lorsqu'on est pauvre !

« Oh ! si jamais j'ai des enfants – et j'espère que j'aurai ce bonheur, ne serait-ce que dans quinze ou vingt ans – je veux travailler à leur épargner les tortures que je ressens. Si je ne suis pas en état de les établir à l'âge où leur cœur parlera, j'en ferai des hommes comme toi, mon ami. La vie du cultivateur est, après tout, la plus rationnelle.

« J'ai été employé de temps en temps comme copiste, depuis que je t'ai écrit, mais tout cela est bien précaire. – Adieu.

« Tout à toi,

« Gustave Charmenil. »

– Oh ! oh ! se dit Jean Rivard, après avoir lu cette longue lettre, voilà mon ami Gustave lancé dans la haute société. D'après tout ce qu'il m'a déjà dit du monde, de ses vanités, de ses frivolités, de son égoïsme, je crains bien qu'il ne se prépare des mécomptes. Mais laissons faire : s'il n'a jamais à s'en repentir, personne n'en sera plus heureux que moi.

Jean Rivard ne rêva toute la nuit suivante que bals, danses, chant, musique, fleurs, ce qui ne l'empêcha pas toutefois de s'éveiller avec l'aurore et de songer en se levant à ses travaux de la journée, à sa mère, à sa Louise, et à un événement très important dont nous allons maintenant parler.

XIX

Une seconde visite à Grandpré

On était à la fin octobre. Jean Rivard informa ses deux compagnons qu'il allait partir de nouveau pour Grandpré.

Son intention était d'embrasser encore une fois sa bonne mère et ses frères et sœurs, de retirer, s'il était possible, le reste de son patrimoine, puis de disposer d'avance, de la manière la plus avantageuse, des produits qu'il aurait à vendre (car il faut se rappeler que c'est par anticipation que nous avons déjà parlé de son revenu de l'année), et enfin de se pourvoir de divers effets, objets de toilette, comestibles et ustensiles, dont les uns étaient devenus indispensables et les autres fort utiles.

Sa visite avait aussi un autre but que mes jeunes lecteurs ou lectrices, s'il s'en trouve qui aient voulu suivre notre héros jusqu'ici, comprendront facilement.

Avant son départ, il annonça à ses deux hommes, devenus l'un et l'autre ses créanciers pour d'assez fortes sommes, qu'il les paierait à son retour. Lachance parut satisfait, et offrit même de contracter un engagement pour un nouveau terme de six mois. Quand à Pierre Gagnon, il paraissait, contre son habitude, tout-à-fait soucieux ; il avait évidemment quelque chose sur le cœur, et Jean Rivard craignit même un instant qu'il ne parlât de quitter son service. Mais cette appréhension était sans fondement ; ce qui rendait Pierre Gagnon sérieux, c'est que lui aussi avait son projet en tête. En effet, ayant trouvé l'occasion de parler à son maître en particulier :

« Monsieur Jean, lui dit-il, je n'ai pas besoin pour le moment des quinze louis que vous me devez, et je peux vous attendre encore un an, mais à une condition : c'est qu'en passant à Lacasseville, vous achèterez pour moi le lot de cent arpents qui se trouve au sud du vôtre... C'est une idée que j'ai depuis longtemps, ajouta-t-il ; je travaillerai encore pour vous pendant un an ou deux, après quoi je commencerai à défricher de temps en temps pour mon compte. Qui sait si je ne deviendrai pas indépendant moi aussi ?

– Oui, oui, mon ami, répondit Jean Rivard sans hésiter, j'accepte avec plaisir l'offre que tu me fais. Ton idée est excellente, et elle me plaît d'autant plus que je serai sûr d'avoir en toi un voisin comme on n'en trouve pas souvent. Va ! je connais assez ton énergie et ta persévérance pour être certain d'avance que tu réussiras même au delà de tes espérances.

Jean Rivard partit de sa cabane et se rendit à Lacasseville où il s'arrêta quelque temps pour y négocier la vente de ses produits, y régler diverses petites affaires et saluer son ami et protecteur M. Lacasse auquel il avait voué dans son cœur une éternelle reconnaissance ; après quoi il se fit conduire en voiture jusqu'aux établissements du bord du fleuve. Rendu là, il loua un canot pour traverser le lac St. Pierre. Notre héros maniait fort bien l'aviron, et ne craignit pas de s'aventurer seul sur les flots. Assis au bout de sa nacelle, il partit en chantant gaiement :

Batelier, dit Lisette,

Je voudrais passer l'eau.

et les autres chansons que lui avait apprises son ami Pierre. L'atmosphère était si parfaitement calme et la surface du lac si tranquille que la traversée se fit en très peu de temps.

Au moment où Jean Rivard débarquait sur la rive nord, le soleil pouvait avoir un quart d'heure de haut ; ses rayons inondaient la plaine et se reflétaient de tous côtés sur les clochers et les toits de fer-blanc. Il voyait à sa droite l'église de Grandpré, et à sa gauche celle de la paroisse voisine, toutes deux s'élevant majestueusement dans la vallée, et dominant les habitations ; elles apparaissaient comme enveloppées dans un nuage d'encens. Les longues suites de maisons, assises l'une à côté de l'autre, quelquefois à double et à triple rang, et remplissant les trois lieues qui séparaient les deux clochers, se déroulaient à ses regards. Quoique à une assez grande distance il pouvait distinguer parfaitement la maison de sa mère, avec le hangar, le fournil, la grange et les autres bâtiments de la ferme nouvellement blanchis à la chaux, ainsi que la maison de brique voisine, celle du père François Routier, et les arbres du jardin. Ce spectacle, intéressant même pour un étranger, était ravissant pour Jean Rivard. Il lui passa comme un frisson de joie par tout le corps, il sentit son cœur se dilater de bonheur, et partit de suite à travers champs, fossés et clôtures pour se rendre à la maison paternelle. Il était léger comme l'air et semblait voler plutôt que marcher.

À mesure qu'il approchait des habitations, il entendait plus distinctement les voix humaines et les cris des animaux ; peu à peu certains sons qui ne lui étaient pas étrangers vinrent frapper ses oreilles ; bientôt même il se sentit comme électrisé par le jappement de « Café », le vieux chien de la maison et son ancien ami, qui allait et venait de tous côtés, se démenant en tous sens, sans qu'on pût savoir à qui il en voulait. Le bon chien ne cessa de japper que lorsque, accourant derrière la maison, il reconnut son ami d'enfance qu'il n'avait vu depuis si longtemps ; il l'accabla de témoignages d'amitié, l'empêchant presque d'avancer à force de frôlement et de caresses. Ce bon animal descendait probablement d'Argus, le fameux chien qui reconnut son maître Ulysse après vingt ans d'absence et dont le divin Homère a fait connaître l'histoire à la postérité.

Comme on vient de le voir, la maison de la veuve Rivard étant bâtie sur le côté sud du chemin, c'était par le côté faisant face au fleuve que Jean devait entrer. Or, on était juste à l'heure où le crépuscule faisant place à la nuit, l'atmosphère revêt une teinte d'un gris foncé qui ne permet guère de distinguer les objets à distance. La soirée était magnifique ; une température douce, presque tiède, un air pur et serein, invitaient à prendre le frais, et toute la famille Rivard, depuis la mère jusqu'au petit Léon qui n'avait pas encore quatre ans, était sur le devant de la maison, les uns assis sur le perron, causant de choses et d'autres, les autres jouant et gambadant dans le sable ou sur le gazon. Jean Rivard put ainsi entrer et parcourir même deux ou trois appartements, sans être remarqué. Les portes et les fenêtres étant ouvertes, il pouvait entendre sa mère et ses frères et sœurs converser à haute voix. Il lui prit alors fantaisie de leur faire une surprise. Sans sortir de la maison, il vint s'asseoir tranquillement près de la porte, d'où il pouvait facilement suivre la conversation.

« Ce pauvre Jean, dit bientôt la bonne mère en soupirant, je ne sais pas pourquoi il retarde si longtemps à venir nous voir ! Il devait venir au commencement du mois. Pourvu, mon Dieu, qu'il ne soit pas malade ou qu'il ne lui soit pas arrivé d'accident !...

– Oh ! pour ce qui est de Jean, maman, dit un des frères, vous n'avez pas besoin d'avoir peur, le malheur ne le connaît pas ; et quant à être malade, vous savez que ça n'est pas son habitude ; je ne vois qu'une chose qui pourrait le rendre malade, c'est de trop penser à Louise Routier, et ce n'est pas une maladie comme ça qui l'empêcherait de venir.

– Louise m'a demandé aujourd'hui quand est-ce qu'il allait venir, dit la petite Luce, la plus jeune fille de madame Rivard, qui pouvait avoir cinq ans.

– Tiens, elle ne me demande jamais ça à moi, dit un des garçons.

– C'est qu'elle a peur que tu te moques d'elles, dit un autre ; tu sais comme il ne faut pas grand-chose pour la faire rougir.

– Moi, dit Mathilde, il y a quelque chose qui me dit que Jean sera ici demain ou après demain.

– J'espère au moins, s'empressa de dire la bonne mère que cette seule supposition rendait presque joyeuse, j'espère que vous n'avez pas mangé toutes les prunes ?

– Ah ! pour ce qui est de ça, dit Joseph, du train que ça va, Jean ferait mieux de ne pas retarder.

– Le pauvre enfant ! continua la mère, il ne mange pas grand-chose de bon dans sa cabane, au milieu des bois... il travaille toujours comme un mercenaire, il endure toutes sortes de privations... et tout cela pour ne pas m'être à charge, pour m'aider à vous établir...

Et de grosses larmes coulaient sur ses joues...

– Ne vous chagrinez pas, ma mère, dit tout-à-coup Jean Rivard en sortant de sa cachette et s'avançant sur le perron : il y a déjà cinq minutes que je suis dans la maison et que je vous écoute parler...

Ce fut un coup de théâtre.

– Vous voyez, ajouta-t-il de suite en l'embrassant, et en embrassant tous ses frères et sœurs, que je suis en parfaite santé, puisqu'après avoir traversé le lac tout seul dans mon canot, je me suis rendu à pied jusqu'ici, à travers les champs.

La mère Rivard resta pendant plusieurs minutes toute ébahie, toute interdite, ne pouvant en croire ses yeux, et Jean Rivard regretta presque de lui avoir causé cette surprise. Les frères et sœurs, moins énervés que leur mère, parlaient tous à la fois et criaient à tue-tête ; ce fut pendant quelques minutes un tapage à faire peur.

Mais chacun finit par reprendre ses sens, et l'on put bientôt se parler et se considérer plus froidement.

Jean Rivard trouva sa bonne mère bien vieillie ; ses cheveux avaient blanchi et de larges rides commençaient à sillonner son front. Elle se plaignait de fréquents maux de tête et d'estomac, et les attribuait en grande partie aux inquiétudes incessantes qu'elle éprouvait sur l'avenir de ses enfants.

Le résultat de ses travaux de l'année, que Jean Rivard s'empressa de mettre sous ses yeux, en l'accompagnant de commentaires, fut pour elle un grand sujet de consolation, en même temps qu'il parut surprendre le reste de sa famille.

– Oh ! pour ce qui est de toi, mon cher Jean, dit la mère, tu as toujours eu tant de courage, je suis bien sûre que tu réussiras ; mais tes jeunes frères que je laisserai avec si peu de fortune, que deviendront-ils après ma mort ?

– Eh bien ! maman, s'empressa de dire Antoine, le troisième des frères, qui arrivait à ses dix-sept ans, si c'est cela qui vous rend malade, consolez-vous : ne puis-je pas faire comme Jean, moi aussi ? Crois-tu, Jean, qu'avec mes quatre-vingts louis d'héritage je pourrais devenir un grand propriétaire comme toi ?

– Certainement, et si tu le désires, j'achèterai pour toi le lot situé au nord du mien, qui offre à peu près les mêmes avantages. Tu passeras encore un an à la maison paternelle ; pendant ce temps-là je te ferai défricher quelques arpents de terre, et quand tu voudras, plus tard, te consacrer sérieusement à ton exploitation, tu viendras loger tout droit chez moi ; nous combinerons ensemble les moyens de te créer une existence indépendante.

– Et moi aussi, dit en riant Joseph, qui avait environ quinze ans, je veux aller m'établir au célèbre village de Louiseville.

– C'est bien, c'est bien, je retiendrai aussi un lot pour toi, et, s'il est possible, un pour chacun des plus jeunes. Qui sait si dans cinq ou six ans, vous ne serez pas tous devenus riches sans vous en apercevoir !

– Ah ça ! s'écria la sœur Mathilde, allez-vous me laisser ici toute seule ? Heureusement, ajouta-t-elle sur le ton de l'incrédulité, que vous n'êtes pas encore partis.

– Oh ! moi, dit le petit Léon, je resterai avec maman. Hein ? maman, dit-il, en s'approchant de ses genoux et la regardant avec ses beaux grands yeux...

Pour toute réponse, la mère l'embrassa en essuyant ses larmes.

Ces petites scènes de famille, tout en mettant à l'épreuve la sensibilité de la mère Rivard, ne laissaient pas que d'être consolantes pour elle. L'exemple de son fils aîné, et surtout ses succès, allaient avoir un bon effet sur les dispositions de ses frères ; et quelque pénible qu'il fût pour elle de se séparer ainsi des êtres les plus chers à son cœur et les plus propres à embellir son existence, elle se disait qu'il valait mieux après tout les voir moins souvent et les savoir à l'abri du besoin que d'avoir chaque jour sous ses yeux leur état de gêne, peut-être d'indigence.

Pour changer le cours de ses idées, Jean Rivard lui disait avec sa gaieté ordinaire : « Prenez courage, ma bonne mère ; dans cinq ou six ans, vous n'aurez qu'à traverser le lac, je vous enverrai mon carrosse, et vous viendrez visiter le village Rivard ; vous viendrez embrasser vos enfants, et qui sait ? peut-être aussi vos petits enfants... »

– Tiens, ça me fait penser, dit Mathilde, que tu ne pouvais jamais venir plus à propos ; il va y avoir demain ou après-demain une *épluchette* de blé d'inde chez notre voisin monsieur Routier ; il y aura de la danse ; tu peux croire si nous aurons du plaisir ; j'espère bien que tu viendras avec nous ?

– Tu sais bien que je ne danse pas.

– Tiens, il n'y a donc pas de maître de danse à Louiseville, dit-elle en riant ? Eh bien ! tu nous regarderas faire. En outre, ne pourras-tu pas avoir le blé d'inde rouge, tout comme un autre ?

– Mais, j'y pense, là, dit Jean Rivard, je ne vois pas ce qui nous empêcherait d'aller faire un petit tour dès ce soir même chez nos bons voisins ?

– Et nos bonnes voisines.

Et voilà Jean Rivard parti, suivi de toute la famille, pour se rendre, chez monsieur Routier, où il fut, comme on le pense bien, reçu à bras ouverts et avec toutes les démonstrations de la joie la plus cordiale par le père, la mère et les enfants. Louise, qui paraissait être la plus froide, n'était cependant pas la moins émue. La conversation se prolongea fort avant dans la nuit ; on y parla de mille choses et en particulier de cette fameuse rencontre d'ours où Jean Rivard avait failli perdre la vie. On peut s'imaginer les exclamations, les cris de surprise et de frayeur qui partirent de la bouche des femmes en entendant Jean Rivard lui-même raconter toutes les circonstances de cette aventure.

On ne se sépara qu'à regret et en se promettant de se revoir le lendemain.

Ce lendemain fut employé par Jean Rivard à régler différentes affaires et à visiter ses parents et connaissances de Grandpré, sans oublier le bon curé M. Leblanc dont il gardait pieusement le souvenir dans son cœur.

Le soir de *l'épluchette,* Jean Rivard dut se rendre, accompagné de sa sœur et de ses jeunes frères, à la maison du père Routier. Cette fête ne l'intéressait cependant pas autant qu'on pourrait le croire. Il éprouvait bien naturellement le désir d'aller chez le père de sa Louise, mais il eût préféré s'y trouver en moins nombreuse compagnie et dans un autre but que celui d'y effeuiller du blé d'inde. Il avait d'ailleurs de fâcheux pressentiments qui ne se vérifièrent malheureusement que trop.

Parmi les nombreux invités se trouvait un jeune homme d'une tenue irréprochable, portant surtout, pantalons et gilet noirs sans parler d'une belle moustache cirée et d'une chevelure peignée avec le plus grand soin, ce qui le rendait naturellement le point de mire de toutes les jeunes filles. C'était un jeune marchand du nom de Duval, établi depuis peu à Grandpré, après avoir fait son apprentissage à Montréal, et qui, aimant passionnément la danse et les amusements de toutes sortes, trouvait le moyen de se faire inviter à toutes les fêtes.

Sa toilette contrastait étrangement avec celle des autres jeunes gens, presque tous fils de cultivateurs. Mais cette disparité ne nuisait en rien à l'entrain général. Un seul pourtant parmi tous ces jeunes gens paraissait embarrassé : c'était Jean Rivard. Cet embarras fut bien plus pénible encore lorsque, vers la fin de l'épluchette, le jeune et beau monsieur Duval vint gracieusement offrir à mademoiselle

Louise Routier un bel épi de blé d'inde rouge... Notre défricheur, malgré toute sa vaillance, ne put supporter cette épreuve et passa brusquement dans la salle où devait commencer la danse.

Un autre ennui l'attendait là. On a déjà deviné que mademoiselle Louise Routier fut la plus recherchée de toutes les jeunes danseuses. Comme la plupart des personnes de son âge, elle aimait passionnément la danse. Elle jetait bien de temps en temps un regard sur notre défricheur qui jouait dans un coin le rôle de spectateur, mais elle ne pouvait trouver l'occasion d'aller lui dire un mot.

Ce qui causa le plus de malaise à Jean Rivard ce fut de voir sa Louise danser à plusieurs reprises avec M. Duval, qui paraissait la considérer avec beaucoup d'intérêt et auquel celle-ci semblait quelquefois sourire de la manière la plus engageante. Chacun de ses sourires était comme un coup de poignard porté au cœur de notre héros. Tous les assistants remarquaient cette préférence accordée au jeune marchand, et les femmes qui vont vite en ces matières-là s'entretenaient déjà de leur futur mariage.

Enfin, Jean Rivard n'y put tenir plus longtemps, et vers neuf heures, sous prétexte de quelque affaire, il fit ses adieux à monsieur et à madame Routier et se retira.

Jean Rivard regretta ce soir-là la solitude de sa cabane de Louiseville.

De son côté, mademoiselle Louise Routier devint toute soucieuse, du moment qu'elle s'aperçut du départ de son ami. Elle comprit qu'elle l'avait négligé et s'en fit intérieurement des reproches. Sa mère ajouta à ces reproches en lui disant qu'elle n'aurait pas dû danser avec ce jeune homme pimpant qu'elle ne connaissait que de nom.

Cette *veillée* qui devait être si amusante fut donc une cause de chagrin et de regrets pour nos jeunes amoureux.

Jean Rivard aimait sincèrement, mais il était fier et indépendant en amour comme en tout le reste. Dans son dépit, il résolut de laisser Grandpré sans dire adieu à Louise. « Je lui écrirai quand je serai rendu, se dit-il ; on peut dire sur le papier beaucoup de choses qu'on ne dirait pas de vive voix. »

Le soleil n'était pas encore levé que Jean Rivard était en route pour le canton de Bristol.

XX

Les voies de communication

Tombez, larmes silencieuses,

Sur une terre sans pitié.

Lamartine.

Tous ceux qui parmi nous ont à cœur le bien-être du peuple et la prospérité du pays regardent avec raison la colonisation des terres incultes comme le moyen le plus direct et le plus sûr de parvenir à l'accomplissement de leurs vœux. Lord Elgin, ce Gouverneur dont les Canadiens conserveront à jamais la mémoire, parce que dans son administration des affaires de la Province il ne se contenta pas d'être anglais mais voulut avant tout être juste, Lord Elgin disait en 1848 que la prospérité et la grandeur future du Canada « dépendaient en grande partie des avantages qu'on retirerait des terres vacantes et improductives, et que le meilleur usage qu'on en pût faire était de les couvrir d'une population de colons industrieux, moraux et contents. »

Toutes les voix canadiennes ont fait écho à celle du noble Lord, ou plutôt Lord Elgin, en énonçant cette opinion, n'était que l'écho de toutes les voix canadiennes, car depuis nombre d'années les propositions les plus diverses avaient déjà été faites pour atteindre le but en question.

Mais de tous les moyens proposés, le plus simple, le plus facile et en même temps le plus efficace, c'est, on l'a dit mille et mille fois, et il n'y a qu'une opinion sur le sujet, c'est la confection de chemins publics à travers les forêts. Ce qui prouve cela de la manière la plus évidente, c'est que partout où l'on établit de bonnes voies de communication, les routes se bordent aussitôt d'habitations, et qu'au bout de quelques mois l'épi doré remplace les arbrisseaux naissants et les chênes séculaires. Si ce moyen si rationnel eût été adopté et mis en pratique, sur une grande échelle, il y a cinquante ans, la face du pays serait entièrement changée ; ces milliers de Canadiens qui ont enrichi de leur travail les États limitrophes de l'Union Américaine se seraient établis parmi nous, et auraient contribué, dans la mesure de leur nombre et de leurs forces, à développer les ressources du pays et en accroître la population.

En étudiant les causes qui ont retardé l'établissement du Bas-Canada, et fermé de vastes et fertiles contrées à des légions d'hommes forts et vaillants, on se sent agité malgré soi de sentiments d'indignation. Mais laissons là le passé ; l'histoire dira tout le mal qu'ont fait à notre population la cupidité insatiable, l'avarice impitoyable des grands et riches spéculateurs, une politique égoïste, injuste et mesquine, et la mauvaise administration, pendant trois quarts de siècle, de cette belle et intéressante colonie. Sans nous laisser aller aujourd'hui à de justes mais inutiles regrets, cherchons à réparer autant que possible les maux du passé, et ne portons nos regards que vers l'avenir.

Ce serait une bien triste histoire que celle des misères, des accidents, des malheurs de toutes sortes occasionnés par le défaut de chemins dans les cantons en voie d'établissement.

À son retour au village de Lacasseville, Jean Rivard trouva toute la population sous le coup d'une émotion extraordinaire. Deux accidents lamentables arrivés à quelques jours d'intervalle avaient jeté comme un voile funèbre sur toute cette partie des cantons de l'Est.

Un jeune missionnaire canadien, plein de zèle et de dévouement, s'étant, dans l'exercice de son saint ministère, aventuré dans la forêt sans guide et sans chemin, avait été surpris par les ténèbres de la nuit, et après de longs et vains efforts pour parvenir aux habitations, s'était vu condamné à périr.

On l'avait trouvé mort, au milieu d'un marécage, enfoncé dans la boue jusqu'à la ceinture... mort de froid, de misère, d'épuisement.

Missionnaire infatigable, pasteur adoré de son troupeau dispersé, sa mort inattendue avait jeté la consternation dans les cœurs et faisait encore verser des larmes.

Des deux hommes qui l'accompagnaient, l'un était mort à côté de lui, l'autre, perclus de tous ses membres, survivait pour raconter ce tragique événement.

Mais une autre nouvelle plus navrante encore, s'il est possible, avait achevé de répandre la terreur dans toutes les chaumières des environs.

Dans un des cantons avoisinant le canton de Bristol avait été s'établir un pauvre colon canadien, avec sa femme et deux enfants, dont l'un encore à la mamelle. Afin d'avoir un lot plus fertile et plus avantageux, il s'était enfoncé dans les bois jusqu'à six lieues des habitations, n'ayant de provisions que pour trois semaines. Là, il s'était bâti une cabane et avait commencé des défrichements. Au bout de trois semaines, ayant fait brûler des arbres et recueilli quelques minots de cendre, il avait transporté cette cendre sur ses épaules jusque chez le plus proche marchand dont il avait reçu en échange quelques livres de farine et un demi-minot de pois. Une fois cette maigre pitance épuisée, il avait eu recours au même moyen, accomplissant toutes les trois semaines, le corps ployé sous un lourd fardeau, un trajet de douze lieues, à travers la forêt. Pendant plus de six mois le courageux colon put subsister ainsi, lui et sa petite famille. Il était pauvre, bien pauvre, mais grâce à son dur travail, les environs de sa cabane commençaient à s'éclaircir, et il goûtait déjà un peu de bonheur en songeant que s'il passait l'hiver sans accident, sa prochaine récolte lui rapporterait assez pour qu'il n'eût plus besoin de recourir au marchand.

L'infortuné colon ne prévoyait pas l'affreux malheur qui l'attendait.

Parti un jour de sa cabane, vers la fin de novembre, les épaules chargées de deux minots de cendre, il s'était rendu comme d'habitude chez le marchand voisin et en avait obtenu la ration accoutumée, après quoi il s'était remis en route pour traverser les six lieues de forêt qui le séparaient de sa demeure. Il se sentait presque joyeux, malgré ses fatigues et sa misère. Mais à peine avait-il fait deux lieues qu'une neige floconneuse se mit à tomber ; l'atmosphère en fut bientôt obscurcie et le ciel et le soleil cachés aux regards ; en moins d'une heure, une épaisse couche blanche avait couvert le sol, les arbustes et les branches des grands arbres. Notre voyageur avait encore trois lieues à faire lorsqu'il s'aperçut, à sa grande terreur, qu'il avait perdu sa route. Les ténèbres de la nuit couvrirent bientôt la forêt, et il dut se résigner à coucher en chemin, ce qu'il n'avait jamais fait jusqu'alors. Il songeait aux inquiétudes que devait avoir sa femme et cette pensée le tourmentait plus que le soin de sa propre conservation. Le lendemain matin de bonne heure, il partit, tâchant de s'orienter le mieux possible ; mais après avoir marché tout le jour, il fut tout étonné et tout alarmé de se retrouver le soir, au soleil couchant, juste à l'endroit où il s'était arrêté la veille. Cette fois, malgré toutes ses fatigues il ne put fermer l'œil de la nuit. Je n'essaierai pas de dépeindre ses angoisses ; elles se conçoivent mieux qu'elles ne peuvent se décrire. Il marcha encore toute la journée du lendemain, s'arrêtant de temps en temps pour crier au secours sans presque aucun espoir de se faire entendre. Enfin, disons pour abréger, que ce ne fut que le troisième jour au matin que le malheureux colon aperçut de loin sa petite *éclaircie* et son humble cabane au milieu.

Son cœur palpita de joie lorsqu'il songea qu'il allait revoir les objets de son affection, sa femme, la compagne de sa misère et de ses travaux, et ses petits enfants auxquels il apportait de quoi manger.

Mais, ô douleur ! pitié pour le pauvre colon !...

Qu'aperçut-il en ouvrant la porte de sa cabane ?

Sa pauvre femme étendue morte !... son plus petit enfant encore dans ses bras, mais n'ayant plus la force de crier... puis l'aîné s'efforçant d'*éveiller* sa mère et demandant en pleurant un petit morceau de pain !...

Il est dans la vie de l'homme des souffrances morales si affreuses, des douleurs tellement déchirantes qu'elles semblent au-dessus des forces humaines et que la plume se refuse à les décrire.

Ces deux événements arrivés coup sur coup produisirent une telle sensation qu'on se mit de tous côtés à signer des requêtes demandant l'établissement de voies de communication à travers les cantons de l'Est. Pendant que Jean Rivard était encore à Lacasseville, le bruit courut que le gouvernement allait construire un chemin qui traverserait le canton de Bristol dans toute son étendue. Le marchand qui avait acheté les produits de Jean Rivard en se chargeant des frais de transport, étant en même temps représentant du peuple dans l'assemblée législative, sollicitait, paraissait-il, cette mesure avec tant de zèle, et il était secondé si vigoureusement par l'Honorable Robert Smith, membre du conseil législatif et copropriétaire du canton de Bristol, qu'on assurait que le gouvernement ne pourrait résister et allait affecter quelques centaines de louis à la confection de chemins dans cette partie du pays.

Ce n'était encore qu'une rumeur, mais Jean Rivard soupçonna

qu'elle pouvait avoir quelque fondement parce que dans l'entrevue qu'il eut alors avec l'Honorable Robert Smith, au sujet des lots qu'il voulait acheter pour ses jeunes frères et Pierre Gagnon, on l'informa que le prix de chaque lot n'était plus de vingt-cinq louis, mais de cinquante. Les délais accordés pour le paiement du prix lui permirent toutefois de s'acquitter de ses promesses.

D'ailleurs, aux yeux de Jean Rivard, la confection d'un chemin à travers la forêt devait avoir l'effet d'accroître considérablement la valeur du terrain.

Le retour de Jean Rivard à Louiseville fut salué par des acclamations, non seulement de la part de ses deux hommes qui commençaient à s'ennuyer de n'avoir plus leur chef, mais par la famille Landry et les colons voisins qui attendaient avec impatience des nouvelles de Grandpré où ils avaient laissé nombre de parents et d'amis. Aussi fut-il interrogé de toutes manières sur les accidents, les maladies, et sur les mariages passés, présents et futurs. Il lui fallut, pour satisfaire à la curiosité générale, faire l'histoire complète de Grandpré durant les derniers six mois.

Mais ce qui causa la plus vive sensation, ce fut la rumeur dont on vient de parler, celle de la confection d'un chemin public à travers le canton de Bristol. Cette nouvelle fut le sujet des plus grandes réjouissances.

Oh ! si les hommes qui sont à la tête des affaires, qui tiennent dans leurs mains les destinées du pays, le malheur ou le bonheur des populations, savaient toutes les douces émotions que fait naître au sein de ces pauvres et courageuses familles une simple rumeur comme celle-là !... Pour ces populations éparses au milieu des forêts, la question des voies de communication n'est pas seulement une question de bien-être et de progrès, c'est une question vitale, et le gouvernement qui s'occupe avec zèle de cette partie de l'administration publique, tout en agissant dans des vues de saine économie politique, remplit encore un devoir de justice et d'humanité.

XXI

Encore un hiver dans les bois

Jean Rivard se remit avec courage à ses travaux de défrichement. Cette année, il n'allait plus à tâtons ; il avait acquis une certaine expérience, et il pouvait calculer d'avance, sans se tromper d'un chiffre, ce que lui coûterait la mise en culture de chaque arpent de terre nouvelle.

Durant les mois d'automne, il put, à l'aide de ses hommes et de ses bœufs, relever, brûler et nettoyer les dix arpents de forêts abattus dans le cours de l'été.

L'hiver s'écoula rapidement ; une partie du temps fut employée à battre et à vanner le grain, et l'autre partie aux travaux de défrichement, ou, comme disait Pierre Gagnon, à guerroyer contre les géants de la forêt. Les veillées se passaient en lectures ou en conversations joignant le plus souvent l'utile à l'agréable. Jean Rivard avait apporté, lors de son dernier voyage à Grandpré, plusieurs nouveaux volumes que lui avaient prêtés M. le curé Leblanc et son ami M. Lacasse, et comme les jeunes Landry montraient autant de goût que Pierre Gagnon pour cette sorte de passe-temps, on put lire, durant les longues soirées de l'hiver, un bon nombre d'ouvrages, entre autres, les *Prisons de Silvio Pellico*, et un recueil de Voyages autour du monde et dans les mers polaires, lecture que Jean Rivard accompagnait de quelques notions géographiques. Ces récits d'aventures périlleuses, de souffrances horribles, de privations inouïes, intéressaient excessivement l'imagination de nos jeunes défricheurs. En parlant de la Terre, de son étendue, de ses habitants, de ses divisions, de la position qu'elle occupe dans l'Univers, Jean Rivard était naturellement conduit à parler d'astronomie, et bien que ses connaissances en cette matière fussent assez bornées, il réussissait, avec l'aide de ses livres, à exciter vivement la curiosité de ses auditeurs. Il fallait voir quelle figure faisaient Pierre Gagnon et ses compagnons lorsqu'ils entendaient dire que la terre marche et tourne sur elle-même ; que la Lune est à quatre vingt cinq mille lieues de nous ; qu'elle a, comme la terre, des montagnes, des plaines, des volcans ; que le Soleil, centre du monde, est à trente huit millions de lieues et qu'il est environ quatorze cent mille fois plus gros que le Globe que nous habitons ; que les milliers d'étoiles que nous apercevons dans le firmament, étagées les unes sur les autres jusque dans les profondeurs du ciel, sont encore infiniment plus loin de nous, etc., etc. Il fallait entendre les exclamations poussées de tous côtés dans le rustique auditoire ! Souvent, entraînés par un mouvement involontaire, tous sortaient de la cabane, et debout, la tête nue, les yeux tournés vers la voute resplendissante, restaient ainsi plusieurs minutes à contempler, au milieu de la nuit, le grand ouvrage du Créateur ; s'il arrivait alors qu'en rentrant dans l'habitation, quelqu'un proposât de faire la prière du soir en commun, un cri général d'assentiment se faisait entendre, et l'encens de la prière s'élevait du fond de l'humble chaumière vers le trône de Celui qui règne par delà tous les cieux.

La cabane de Jean Rivard devint trop petite pour la société qui la fréquentait, car il faut dire que le canton de Bristol s'établissait avec une rapidité sans exemple dans les annales de la colonisation. Chaque jour de nouveaux défricheurs faisaient leur apparition à Louiseville, considéré d'un commun accord comme le chef-lieu du canton. La rumeur de la confection prochaine d'un chemin public s'était répandue avec la rapidité de l'éclair dans toutes les anciennes paroisses du district des Trois-Rivières, et des centaines de jeunes gens, des familles entières, s'établissaient avec empressement au milieu de ces magnifiques forêts. Dans l'espace de quelques mois, la moitié des lots du canton furent vendus, quoique le prix en eût été d'abord doublé, puis triplé et même quadruplé dans la partie dont l'Honorable Robert Smith était le propriétaire. Un grand nombre de familles n'attendaient que l'ouverture du chemin pour se rendre sur leurs lots.

Naturellement les jeunes défricheurs allaient faire visite à Jean Rivard qu'ils regardaient comme le chef de la colonie et qui, par son expérience, était déjà en état de leur donner d'utiles renseignements. En effet, non seulement Jean Rivard leur donnait des conseils dont ils faisaient leur profit, mais il leur parlait avec tant de force et d'enthousiasme qu'il donnait du courage aux plus pusillanimes ; ceux qui passaient une heure avec lui retournaient à leur travail avec un surcroît d'ardeur et d'énergie.

« Vous voulez, répétait-il à chacun d'eux, parvenir à l'indépendance ? Vous avez pour cela une recette infaillible : abattez chaque année dix arpents de forêt et dans cinq ou six ans votre but sera atteint. Un peu de courage et de persévérance, voilà en définitive ce qu'il nous faut pour acquérir l'aisance et le bonheur qui en découle. »

Sa parole chaleureuse et pleine de conviction produisait un effet magique.

Lorsque le soir, sa modeste demeure était remplie de ces jeunes gens pleins de vigueur et d'intelligence, il aimait à les entretenir des destinées futures de leur canton.

« Avant dix ans, disait-il avec feu, avant cinq ans peut-être, le canton de Bristol sera déjà une place importante sur la carte du Canada ; ces quelques huttes maintenant éparses au milieu des bois seront converties en maisons élégantes ; nous aurons un village de plusieurs mille âmes ; qui sait ? peut-être une ville. Des magasins, des ateliers, des boutiques, des moulins auront surgi comme par enchantement ; nous aurons notre médecin, notre notaire ; au centre du canton s'élèvera le Temple du Seigneur, et à côté, la maison d'école. »...

Ces simples paroles faisaient venir les larmes aux yeux de ses naïfs auditeurs auxquels elles rappelaient involontairement le souvenir touchant du clocher de la paroisse.

Vers la fin du mois de mars, nos défricheurs suspendirent un moment leurs travaux pour se livrer de nouveau à la fabrication du sucre d'érable, occupation d'autant plus agréable à Jean Rivard qu'elle faisait diversion à ses autres travaux et lui laissait d'assez longs loisirs qu'il donnait à la lecture ou à la rêverie. Ils entaillèrent une centaine d'érables de plus qu'ils n'avaient fait le printemps d'avant, et, grâce à leur expérience, peut-être aussi à une température plus favorable, ils fabriquèrent en moins d'un mois près de six cents livres de sucre d'un grain pur et clair, et plusieurs gallons d'un sirop exquis.

Les diverses opérations de cette industrie leur furent beaucoup plus faciles qu'elles ne l'avaient été l'année précédente ; ils purent même introduire dans la fabrication du sucre certaines améliorations dont ils recueillirent un avantage immédiat.

Il est deux choses importantes que je ne dois pas omettre de mentionner ici : la première, c'est que nos défricheurs continuèrent, comme ils avaient fait dès leur entrée dans la forêt, à mettre en réserve toutes les pièces d'arbres qui, au besoin, pouvaient servir à la construction d'une maison, Jean Rivard n'ignorant pas que tôt ou tard cette précaution lui serait utile ; le second, c'est que Jean Rivard et mademoiselle Louise Routier ayant échangé plusieurs lettres dans le cours de l'hiver, avaient fini par s'entendre à merveille ; et, comme c'est l'ordinaire, les jeunes amoureux s'aimaient plus tendrement que jamais.

Qu'on nous permette de rapporter ici quelques lignes extraites de leur correspondance.

De Jean Rivard à Louise

« *Vous* avez sans doute compris que si je suis parti de chez votre père, le soir de votre *épluchette*, sans vous faire mes adieux, c'est que je craignais de vous faire perdre un instant de plaisir. Vous paraissiez vous amuser si bien, vous étiez si gaie, si folâtre, qu'il eût été vraiment cruel de ma part de vous attrister par mon air sérieux et froid. D'ailleurs je vous avouerai franchement que le beau jeune homme à moustaches qui dans cette soirée a eu l'insigne honneur d'attirer presque seul votre attention, avait des avantages si apparents sur moi comme sur tous les autres jeunes gens, au moins par sa toilette, sa belle chevelure, et surtout son beau talent de danseur, que vraiment force m'était de lui céder le pas, sous peine d'encourir la perte de vos bonnes grâces et des siennes, et peut-être de me rendre ridicule. Je mentirais si je vous disais que cette préférence marquée de votre part ne m'a fait aucune peine. Je ne connais pas ce monsieur Duval, mais je puis vous affirmer sans crainte qu'il ne vous aime pas autant que moi ; il paraît s'aimer trop lui-même pour aimer beaucoup une autre personne. Malheureusement pour moi, il a de beaux habits, il vend de belles marchandises, soie, rubans, dentelles, et les jeunes filles aiment tant toutes ces choses-là ! Il a de belles mains blanches et les miennes sont durcies par le travail. De plus, il demeure si près de vous, il peut vous voir tous les jours, il vous fait sans doute de beaux cadeaux, il vous donne de jolis bouquets, il vous accompagne chez vous après Vêpres, etc. ; et moi, qui suis à plus de vingt lieues de vous, je ne puis rien de tout cela. On dit que les absents ont toujours tort : il est donc probable que, à l'heure qu'il est, vous ne pensez déjà plus à moi...

De Louise Routier à Jean Rivard.

« Je ne comprends pas comment vous avez pu croire que je pouvais m'amuser à ce beau jeune homme à moustaches qui venait chez nous pour la première fois quand vous l'y avez rencontré, et qui n'y est pas revenu depuis, et dont le principal mérite, il paraît, est de savoir danser à la perfection. Je ne suis encore qu'une petite fille, mais croyez-moi, je sais faire la distinction entre les jeunes gens qui ont un esprit solide, du courage, et toutes sortes de belles qualités et ceux qui n'ont que des prétentions vaniteuses, ou qui ont, comme on dit, leur esprit dans le bout des orteils. Si je vous semble légère quelquefois, je ne le suis pas au point de préférer celui qui a de jolies mains blanches, parce qu'elles sont oisives, à celui dont le teint est bruni par le soleil, parce qu'il ne redoute pas le travail. Je regarde au cœur et à la tête avant de regarder aux mains.

« Pour moi je vous avoue que je n'ai pas fait beaucoup d'attention à ce que me disait ce monsieur ; je sais seulement que ses phrases étaient parsemées de mots anglais que je n'aurais pas pu comprendre quand même je l'aurais voulu. S'il croyait que je lui souriais, il se trompait. Si je paraissais contente, c'était de danser ; je suis si folle pour cela. J'espère bien que je deviendrai plus sage avec l'âge. Vous avez dû me trouver bien étourdie ce soir-là ? Mais aussi pourquoi êtes-vous parti si tôt ? Si j'ai des reproches à me faire, vous en avez vous aussi, pour être parti comme vous avez fait, sans nous dire un petit mot d'adieu.

« Ah ! vous regretteriez, j'en suis sûre, votre méchante bouderie, si vous saviez que vous m'avez fait pleurer ? »

On comprend qu'après de pareilles explications, la réconciliation ne pouvait tarder.

Jean Rivard se donna beaucoup de soin, à l'époque de la fabrication du sucre, pour confectionner au moyen d'un élégant petit moule en bois travaillé de ses mains, un joli cœur de sucre évidemment destiné à servir de cadeau. Quand le moment vint de procéder à cette intéressante opération, ce fut Jean Rivard lui-même qui nettoya l'intérieur de la chaudière avec du sable fin, qui y coula la liqueur, qui l'écuma durant l'ébullition, et qui la déposa dans le petit moule de bois, après sa transformation en sucre.

Ce cœur on devine sans peine à qui Jean Rivard le destinait. Il fut expédié de suite à Lacasseville, et la première voiture qui partit de ce village pour Grandpré l'emporta, accompagné d'une petite lettre délicatement tournée.

Il ne faut pas non plus omettre de dire ici pour l'édification de nos lecteurs que nos trois défricheurs trouvèrent moyen, vers la fin de la semaine sainte, de se rendre à Lacasseville, pour y accomplir le précepte adressé à tous les membres de cette belle et vaste association – l'église catholique romaine – de communier au moins une fois l'an. Les cérémonies si touchantes de cette grande semaine produisirent sur eux une impression d'autant plus vive qu'ils avaient été plus longtemps privés du bonheur si doux aux âmes religieuses d'assister aux offices divins.

« Parlez-moi de ça, s'écria Pierre Gagnon, en sortant de l'église, ça fait du bien des dimanches comme ça. Tonnerre d'un nom ! ça me faisait penser à Grandpré. Sais-tu une chose, Lachance ? C'est que ça me faisait si drôlement en dedans que j'ai quasiment *braillé* !...

– Et moi *étou,* dit Lachance, à qui pourtant il arrivait rarement de parler de ses impressions.

– Laissez faire, leur dit Jean Rivard, si je réussis dans mes projets, j'espère qu'au printemps prochain nous n'aurons pas besoin de venir à Lacasseville pour faire nos Pâques. Nous aurons une chapelle plus près de nous.

– Oh ! je connais ça, murmura tout bas Pierre Gagnon en clignant de l'œil à Lachance, ça sera la chapelle de Ste. Louise !...

Cette fois Jean Rivard trouva deux lettres à son adresse au bureau de poste de Lacasseville. La suscription de la plus petite était d'une écriture en pattes de mouche qu'il reconnut sans peine et dont la seule vue produisit sur sa figure un épanouissement de bonheur. La seconde, plus volumineuse, était de son ami et correspondant ordinaire, Gustave Charmenil.

Toutes deux l'intéressaient vivement, mais la première étant plus courte, c'est elle qui dut avoir la préférence. Nous n'en citerons que les lignes suivantes :

« Merci, mon bon ami, du joli cœur de sucre que vous m'avez envoyé. Il avait l'air si bon que j'ai été presque tentée de le manger. Mais, manger votre cœur ! ce serait cruel, n'est-ce pas ? C'est pour le coup que vous auriez eu raison de bouder. Je l'ai donc serré soigneusement dans ma petite armoire, et je le regarde de temps en temps pour voir s'il est toujours le même. La dernière fois que je l'ai vu il paraissait bien dur ! S'il ne s'amollit pas, je pourrais bien lui faire un mauvais parti : je n'aime pas les cœurs durs... »

Le reste de la lettre se composait de petites nouvelles de Grandpré, qui n'auraient aucun intérêt pour les lecteurs.

La lettre de Gustave Charmenil n'était pas tout à fait aussi gaie, comme on va le voir.

Quatrière lettre de Gustave Charmenil.

« Mon cher ami,

« Tu ne saurais croire combien ta dernière lettre m'a soulagé ! Je l'ai lue et relue, pour me donner du courage et me rattacher à la vie. En la lisant je me suis répété souvent : oui, c'est bien vrai, un véritable ami est un trésor, et, malgré moi, ce vers souvent cité d'un de nos grands poètes me revenait à l'esprit :

L'amitié d'un grand homme est un présent des dieux.

« Ne crois pas que je veuille badiner en te décorant du titre de grand homme ; tu sais que je ne suis ni flatteur, ni railleur. À mes yeux, mon cher Jean, tu mérites cette appellation à plus juste titre que les trois quarts de ces prétendus grands hommes dont l'histoire nous raconte les hauts faits. Tu es un grand homme à la manière antique, par le courage, la simplicité, la grandeur d'âme, la noblesse et l'indépendance de caractère ; du temps des premiers Romains, on t'eût arraché à tes défrichements pour te porter aux premières charges de la République. Réclame, si tu veux, mon cher ami, mais c'est vrai ce que je te dis là. Oh ! tout ce que je regrette, c'est de ne pouvoir passer mes jours auprès de toi. Ici, mon cher, dans l'espace de plus de trois ans, je n'ai pu encore me faire un ami ; au fond, je crois que les seuls vrais amis, les seuls amis de cœur, sont les amis d'enfance, les amis du collège. L'amitié de ceux-là est éternelle, parce qu'elle est sincère et désintéressée. Depuis plusieurs mois, je vis dans un isolement complet. Le moindre rapport avec la société, vois-tu, m'entraînerait à quelque dépense au-dessus de mes moyens. Je vais régulièrement chaque jour de ma pension à mon bureau, puis de mon bureau à ma pension. C'est ici que je passe généralement mes soirées en compagnie de quelques auteurs favoris que je prends dans la bibliothèque de mon patron. La maîtresse de maison et ses deux jeunes filles aiment beaucoup à entendre lire, et je lis quelquefois tout haut pour elles. L'une des jeunes filles particulièrement est très intelligente et douée d'une rare sensibilité. Il m'arriva l'autre jour en causant avec elle de dire « que je ne serais pas fâché de mourir », et à ma grande surprise elle se mit à pleurer à chaudes larmes. Je regrettai cette parole inconvenante, et me hâtai de changer le sujet de la conversation. Mais cela te prouve que mes idées ne sont pas fort gaies. En effet, mon cher, ma disposition naturelle à la mélancolie semble s'accroître de jour en jour. Je fais, autant que possible, bonne contenance, mais je souffre. Je reviens toujours sur ce triste sujet, n'est-ce pas ? Je suis comme ces pauvres hypocondriaques qui ne parlent que de leurs souffrances ? Mais si je me montre avec toi si personnel, si égoïste, ne va pas croire que je sois ainsi avec tout le monde. Je te dirai même que tu es le seul à qui j'aie jamais rien confié de mes déboires, de mes dégoûts, parce que toi, vois-tu, je te sais bon et indulgent, et je suis sûr de ta discrétion. Avec toi, je puis parler de moi aussi longtemps que je voudrai, sans crainte de devenir fastidieux. Laisse-moi donc encore t'entretenir un peu de mes misères ; tu n'en comprendras que mieux combien tu dois bénir ton étoile et remercier la providence de t'avoir inspiré si bien.

« Il faut que je te rapporte un trait dont le souvenir me fait encore mal au cœur. Je t'ai déjà dit que les lettres que je reçois de mes amis sont une de mes plus douces jouissances. À part les tiennes qui me font toujours du bien, j'en reçois encore de quelques autres de mes amis et en particulier de deux de nos anciens professeurs, aux conseils desquels j'attache beaucoup d'importance. Ces lettres, quand elles me viennent par la poste, me sont remises par un homme chargé de percevoir en même temps le prix du port et quelques sous pour ses honoraires. Or, il m'arriva dernièrement de recevoir ainsi une lettre assez pesante, dont le port s'élevait à trente-deux sous. C'était beaucoup pour moi ; je réunis tous mes fonds sans pouvoir former plus de vingt sous. Il me manquait encore douze sous : comment faire ? Je ne pouvais pourtant pas refuser cette lettre ; elle pouvait être fort importante.

« En cherchant parmi mes effets pour voir si je ne trouverais pas quelque chose dont je pusse disposer, je ne trouvai qu'un tout petit volume, un petit *Pensez-y-bien*, qui m'avait été donné par notre ancien directeur de collège. C'était le seul livre qui me restât. J'aurais pourtant bien voulu le garder ; c'était un souvenir d'ami ; je l'aimais ce petit livre, il m'avait suivi partout. Mais je me dis : je vais le mettre en gage et je le racheterai aussitôt que j'aurai de l'argent.

« Je retirai donc ma lettre de la poste ; elle ne valait pas le sacrifice que j'avais fait. C'était une longue correspondance qu'un notaire de campagne envoyait à une gazette, et qu'il me priait de vouloir bien *retoucher*.

« Aussitôt que j'eus la somme nécessaire, je courus pour racheter mon petit *Pensez-y-bien* : mais il était trop tard... il était vendu... on ne savait à qui...

« Je me détournai, et malgré moi une larme me tomba des yeux.

« Ô ma bonne mère ! si vous aviez connu alors tout ce que je souffrais, comme vous auriez pleuré ! Mais je me suis toujours soigneusement gardé de faire connaître mon état de gêne à mes parents ; ils ignorent encore toutes les anxiétés qui m'ont accablé, tous les déboires que j'ai essuyés. Que veux-tu ? je connais leur bon cœur ; ils auraient hypothéqué leurs propriétés pour me tirer d'embarras, et que seraient devenu leurs autres enfants ?

« Oh ! combien de fois j'ai désiré me voir simple journalier, homme de métier travailleur, vivant de ses bras, ou encore mieux, laborieux défricheur comme toi !

« La vie des bois me plairait d'autant plus que je suis devenu d'une sauvagerie dont tu n'as pas d'idée. Je fuis la vue des hommes. Si par hasard en passant dans les rues je vois venir de loin quelque personne de ma connaissance, je prends une voie écartée pour n'avoir pas occasion d'en être vu. Je m'imagine que tous ceux qui me rencontrent sont au fait de ma misère ; si j'ai un accroc à mon pantalon, ou une fissure à ma botte, je me figure que tout le monde a les yeux là ; je rougis presque à la vue d'un étranger.

« Quelle affreuse situation !

« Il y a de l'orgueil dans tout cela, me diras-tu ? Cela se peut ; mais, dans ce cas, mon cher, je suis bien puni de mon péché.

« Croiras-tu que dans mon désespoir, j'en suis même venu à la pensée de m'expatrier... d'aller quelque part où je ne suis pas connu travailler des bras, si je ne puis d'aucune manière tirer parti de mon éducation ? Oui, à l'heure qu'il est, si j'avais été assez riche pour me faire conduire à la frontière, je foulerais probablement une autre terre que celle de la patrie, je mangerais « le pain amer de l'étranger. »

Je me suis écrié dans ma douleur profonde :
Allons, fuyons au bout du monde...
Pourquoi traîner dans mon pays
Des jours de misère et d'ennuis ?

Au lieu de ces moments d'ivresse,
De ces heures de joie et de félicité
Que nous avions rêvés dans nos jours de jeunesse,
J'avais devant mes yeux l'aspect de la détresse
L'image de la pauvreté...

Que de jours j'ai passés sans dire une parole,
Le front appuyé sur ma main !
Sans avoir de personne un seul mot qui console,
Et refoulant toujours ma douleur dans mon sein...

Combien de fois errant, rêveur et solitaire,

N'ai-je pas envié le sort du travailleur
Qui pauvre, harassé, tout baigné de sueur,
À la fin d'un long jour de travail, de misère,
Retourne à son humble chaumière !...

Il trouve pour le recevoir
Sur le seuil de sa porte une épouse chérie
Et de joyeux enfants heureux de le revoir.

« Oh ! pardonne, mon ami, à ma lyre depuis longtemps détendue, ces quelques notes plaintives. J'ai dit adieu et pour toujours à la poésie que j'aimais tant. Cette fatale nécessité de gagner de l'argent, qui fait le tourment de chaque minute de mon existence, a desséché mon imagination, éteint ma verve et ma gaieté ; elle a ruiné ma santé.

« J'aurai terminé dans le cours de l'automne prochain mes quatre années de cléricature ; je serai probablement, « après un brillant examen », suivant l'expression consacrée, admis à la pratique de la loi ; je serai membre du barreau, et quand on m'écrira, ou qu'on parlera de ma personne, je serai appelé invariablement « Gustave Charmenil, Écuyer, Avocat » ; ce sera là peut-être la plus grande satisfaction que je retirerai de mes études légales. Je t'avoue que je redoute presque le moment de mon admission à la pratique. J'aurai à payer une certaine somme au gouvernement, à ouvrir un bureau, à le meubler, à m'acheter quelques livres, à faire des dépenses de toilette : à cela, mes ressources pécuniaires s'épuiseront bientôt. Je n'ai pas à craindre toutefois de me voir de longtemps obsédé par la clientèle ; mes rapports avec les hommes d'affaires, durant ma cléricature, ont été restreints, et je n'ai ni parents ni amis en état de me pousser. En outre, la cléricature que j'ai faite n'est guère propre à me donner une réputation d'habileté. Obligé d'écrire pour les gazettes, de traduire, de copier, d'enseigner le français et de faire mille autres choses, je n'ai pu apporter qu'une médiocre attention à l'étude de la pratique et de la procédure, et les questions les plus simples en apparence sont celles qui m'embarrasseront davantage. Tu vois que la perspective qui s'ouvre devant moi n'a rien de bien riant, comparée à l'heureux avenir qui t'attend.

125/151

« Ah ! je sais bien que si j'étais comme certains jeunes gens de ma classe, je pourrais facilement me tirer d'embarras. Je me mettrais en pension dans un des hôtels fashionables, sauf à en partir sans payer, au bout de six mois ; je me ferais habiller à crédit chez les tailleurs, les cordonniers, je ferais des comptes chez le plus grand nombre possible de marchands ; puis, à l'expiration de mon crédit, j'enverrais paître mes créanciers. Cela ne m'empêcherait pas de passer pour un *gentleman* ; au contraire. Avec mes beaux habits et mes libres allures je serais sûr d'en imposer aux badauds qui malheureusement sont presque partout en majorité.

« Je connais de jeunes avocats qui se sont fait une clientèle de cette façon ; pour en être payés, leurs créanciers se trouvaient forcés de les employer.

« Mais que veux-tu ? Ce rôle n'est pas dans mon caractère. M'endetter sans être sûr de m'acquitter au jour de l'échéance, ce serait me créer des inquiétudes mortelles.

« Pardonne-moi, mon bon ami, si je ne te dis rien aujourd'hui de mes affaires de cœur. J'ai tant de tristesse dans l'âme que je ne puis pas même m'arrêter à des rêves de bonheur. D'ailleurs que pourrais-je t'apprendre que tu ne devines déjà ? Ce que j'aimerais mieux pouvoir dire, ce seraient les paroles de Job : « j'ai fait un pacte avec mes yeux pour ne jamais regarder une vierge. »

« Mais toi, mon cher ami, parle-moi de ta Louise ; ne crains pas de m'ennuyer. Votre mariage est-il arrêté ? Et pour quelle époque ? Que tu es heureux ! Le jour où j'apprendrai que vous êtes unis sera l'un des plus beaux de ma vie.

« Ton ami dévoué,

« Gustave Charmenil. »

Plusieurs fois, en lisant cette lettre, Jean Rivard sentit ses yeux se remplir de larmes. Naturellement sensible, sympathique, il eût donné tout au monde pour adoucir les chagrins de son ami. Pendant quelques moments il fut en proie à une vive agitation ; il allait et venait, se passant la main sur le front, relisait quelques passages de la lettre, et se détournait de nouveau pour essuyer ses yeux. Enfin, il parut tout à coup avoir pris une détermination, et ne voulant pas retourner à Louiseville avant de répondre quelques mots à la lettre qu'il venait de lire, il demanda au maître de poste une feuille de papier, et écrivit :

« Mon cher Gustave,

« Ta dernière lettre m'a rendu triste. Je vois bien que tu es malheureux ! Et dire pourtant qu'avec un peu d'argent tu pourrais être si heureux ! Ce que c'est ! comme le bonheur tient souvent à peu de chose ! Je voudrais bien avoir un peu plus de temps pour t'écrire et te dire toute mon amitié pour toi, mais il faut que je parte immédiatement si je veux me rendre à ma cabane avant la nuit. Je ne veux pas partir pourtant avant de te dire une idée qui m'est venue en lisant ta lettre. Je voudrais te proposer un arrangement. Tu sais que je suis presque riche déjà. Badinage à part, j'ai ce printemps, près de cinq cents livres de sucre à vendre, ce qui me rapportera au moins vingt piastres ; je pourrai me passer de cette somme : je te la prêterai. Ce sera peu de chose, il est vrai, mais si ma récolte prochaine est aussi bonne que celle de l'année dernière, j'aurai une bonne quantité de grains à vendre vers la fin de l'automne, et je pourrai mettre une jolie somme de côté, que je te prêterai encore ; tu me rendras tout cela quand tu seras avocat, ou plus tard quand tu seras représentant du peuple. N'est-ce pas que ce sera une bonne affaire pour nous deux ? Dis-moi que tu acceptes, mon cher Gustave, et avant quinze jours tu recevras de mes nouvelles.

« Je n'ai pas le temps de t'en dire plus.

« Ton ami pour la vie.

« Jean Rivard. »

Les quinze jours n'étaient pas expirés qu'une lettre arrivée de Montréal à Lacasseville, à l'adresse de Jean Rivard, fut transmise de cabane en cabane jusqu'à Louiseville. Elle se lisait ainsi :

« Ah ça ! mon ami, est-ce bien de toi que j'ai reçu une lettre dans laquelle on m'offre de l'argent ? Si c'est de toi, en vérité, pour qui me prends-tu donc ? Me crois-tu le plus vil des hommes pour que je veuille accepter ce que tu me proposes ? Quoi ! tu auras travaillé comme un mercenaire pendant près de deux ans, tu te seras privé de tous les plaisirs de ton âge, vivant loin de toute société, loin de ta mère, de ta famille, de tes amis, afin de pouvoir plus tôt t'établir et te marier… et ce sera moi qui recueillerai les premiers fruits de tes sueurs ? Ah ! Dieu merci, mon ami, je ne suis pas encore descendu jusque là. Je suis plus pauvre que bien d'autres, mais j'ai du cœur autant que qui que ce soit. Je ne te pardonnerais pas, si je ne savais qu'en me faisant cette proposition, tu t'es laissé guider, moins par la réflexion que par une impulsion spontanée ; mais ta démarche va me priver à l'avenir d'une consolation qui me restait, celle d'épancher mes chagrins dans le sein d'un ami. Tu es le seul à qui j'aie jamais fait part de mes mécomptes, de mes embarras, parce qu'avec toi au moins je croyais pouvoir me plaindre sans paraître rien demander. Pouvais-je croire que tu prendrais mes confidences pour des demandes d'argent ? Va, je te pardonne, parce que je connais le fond de ton âme ; mais, une fois pour toute, mon ami, qu'il en soit plus question d'offre semblable entre nous : mon amitié est à ce prix.

« Tranquillise-toi d'ailleurs sur mon sort ; j'ai réussi dernière-ment à me procurer du travail, et je suis maintenant sans inquiétude sur mon avenir.

« Adieu,

« Ton ami,

« Gustave Charmenil. »

Jean Rivard pleura de nouveau en recevant cette réponse, mais il comprit qu'il était inutile d'insister, et tout ce qu'il put faire fut de compatir en silence aux peines de son ami.

XXII

La grande nouvelle

Les semailles du printemps étaient à peine finies qu'une nouvelle extraordinaire partie de Lacasseville, et transmise d'habitation en habitation à travers le canton de Bristol, vint mettre en émoi toute la petite population dispersée dans cette forêt séquestrée pour ainsi dire du reste du monde. Ce qui n'avait été jusqu'alors qu'un bruit, qu'une rumeur plus ou moins fondée, était enfin devenu un fait accompli : le gouvernement provincial avait ordonné la confection d'un chemin public à travers le canton de Bristol. Les arrangements préliminaires étaient déjà arrêtés, les journaliers étaient engagés, les contremaîtres nommés, l'hon. Conseiller législatif Robert Smith, propriétaire du canton, et le représentant Arnold, celui qui avait acheté d'avance la potasse de Jean Rivard en se chargeant des frais de transport, étaient eux-mêmes à la tête de l'entreprise, et avaient la gestion des fonds affectés à la confection du chemin. Bientôt même on apprit que la route était tracée, que les travaux étaient commencés, les premiers arbres abattus, et que les travailleurs s'avançaient à grandes journées à travers l'épaisseur des bois. Les nouvelles de la prise de Sébastopol, de la découverte des mines d'or de la Californie, ou des révolutions qui ont éclaté depuis quelques années dans l'ancien et le nouveau monde, n'ont causé nulle part une sensation plus vive, plus profonde, que n'en causa chez les premiers colons du canton de Bristol, l'événement dont nous parlons. Malgré l'éloignement des habitations, on se réunissait de tous côtés pour en parler ; des gens qui ne se connaissaient pas, qui ne s'étaient jamais vus jusque là, s'entretenaient de la chose comme d'un bonheur commun, comme d'un heureux événement de famille ; il y eut des feux de joie, des démonstrations, des réjouissances publiques ; une vie nouvelle semblait animer toute cette petite population.

Une activité extraordinaire se manifesta immédiatement dans toute l'étendue du canton ; de nouveaux défricheurs arrivèrent ; tous les lots situés sur la route qui n'avaient pas encore été concédés le furent dans l'espace de quelques jours.

On peut se faire une idée de la sensation que produisit cette nouvelle sur Jean Rivard. Il en fut comme étourdi ; pendant plusieurs nuits son sommeil d'ordinaire paisible, se ressentit de la secousse qu'éprouva son esprit. Il passait des heures entières à rêver aux changements qu'allait nécessairement subir sa condition. De fait, cet événement en apparence si simple devait exercer la plus grande influence sur la fortune et les destinées de notre héros.

À ses yeux, la valeur de sa propriété était au moins triplée.

Bientôt un projet ambitieux, dont il se garda bien cependant de faire part à personne, s'empara de son esprit, et ne le quitta ni jour ni nuit. Disons en confidence au lecteur quel était ce projet que Jean Rivard caressait en secret, et dont la pensée lui procurait les plus douces jouissances qu'il eût encore éprouvées depuis le commencement de son séjour dans les bois.

« Me voilà », se disait-il à part lui, « avec plus de trente arpents de terre en culture ; tout annonce que ma récolte de cette année sera fructueuse, abondante, et me rapportera bien au-delà du nécessaire. Avec ce surplus et le produit de ma potasse, je vais pouvoir acquitter toutes mes dettes et consacrer en outre une petite somme à l'amélioration de ma propriété. »

C'étaient déjà là des réflexions fort consolantes, des supputations très encourageantes. Mais une idée qui lui semblait présomptueuse venait immédiatement après :

« Pourquoi donc », ajoutait-il en se parlant à lui-même, « ne pourrais-je pas dès cette année me bâtir une maison décente ? Avec un chemin comme celui que nous aurons, ne puis-je pas transporter facilement de Lacasseville à Louiseville les planches, les briques, la chaux et tous les autres matériaux nécessaires ? Et si après tout il me manquait quelque chose, ne pourrais-je pas, en exposant à mes créanciers l'état de mes affaires et les légitimes espérances que je fonde sur l'avenir, obtenir d'eux une prolongation de crédit ? »

De toute cette série de considérations à une idée encore plus ambitieuse et plus riante, il n'y avait qu'un pas. Une fois la cage construite, ne fallait-il pas un oiseau pour l'embellir et l'égayer ? Et cet oiseau se présentait à l'imagination de notre héros sous la figure d'une belle et fraîche jeune fille aux yeux bleus que nos lecteurs connaissent déjà.

« De fait, se disait-il enfin, pourquoi ne pourrai-je pas me marier dès cet automne ? Ce sera une année plus tôt que je n'avais prévu, mais une année de bonheur dans la vie n'est pas à dédaigner... »

La première fois que cette pensée se fit jour dans son cerveau, son cœur battit avec force pendant plusieurs minutes. Il n'osait s'abandonner à ce rêve enchanteur, craignant d'être le jouet d'une illusion. Toutefois, en réfléchissant de nouveau à son projet, en l'envisageant de sang-froid et à tête reposée, il lui sembla de plus en plus réalisable, et notre héros ne fut pas longtemps avant d'avoir tout arrêté dans son esprit.

On a déjà vu que Jean Rivard n'avait pas l'habitude de remettre au lendemain ce qu'il pouvait faire la veille. Il était homme d'action dans toute la force du mot. Aussi, se rendre à Lacasseville, communiquer ses projets à son ami M. Lacasse, se rendre de là à Grandpré, y conclure différentes affaires, s'assurer les moyens de se bâtir dans l'automne et même dans l'été s'il le désirait, demander la main de mademoiselle Routier pour cette époque tant désirée – tout cela fut l'affaire de moins d'une semaine.

Grâce à l'activité infatigable de notre héros, cette semaine fut bien remplie et dut faire époque dans sa vie.

Son entrevue avec la famille Routier fut des plus satisfaisantes. Jean Rivard fut traité comme méritait de l'être un jeune homme de cœur, et se crut autorisé à demander Louise en mariage, ce qu'il fit tout en expliquant que son intention n'était pas de se marier avant la fin de l'automne.

Le père Routier répondit au jeune défricheur en lui faisant les compliments les plus flatteurs sur son courage et sa bonne conduite, ajoutant qu'il espérait que la Providence continuerait à bénir ses travaux, et que sa prochaine récolte lui permettrait de pourvoir amplement aux besoins et à l'entretien d'un ménage – que dans tous les cas la seule objection qu'il pût faire n'avait rapport qu'à l'époque fixée pour ce grand événement, si toutefois, ajouta le père en souriant, et en regardant sa fille, si toutefois Louise ne change pas d'idée... elle est encore jeune... et les filles sont si changeantes !...

– Ah ! papa !... s'écria involontairement la jeune fille en devenant rouge comme une fraise, et en levant vers son père des regards suppliants où se lisaient en même temps le reproche et la contrainte.

Cette naïve exclamation, et le mouvement spontané, dépourvu

de coquetterie, qui l'accompagna, en dirent plus à Jean Rivard que n'auraient pu le faire les lettres les plus tendres.

Ce fut la réponse la plus éloquente, la plus touchante qu'il pût désirer à sa demande en mariage.

Notre héros repartit cette fois de Grandpré plus gai qu'à l'ordinaire, malgré les adieux toujours pénibles qu'il dut faire à sa mère et au reste de la famille. Mais la séparation fut moins cruelle, puisque l'absence devait être plus courte.

Avant de partir de Grandpré, Jean Rivard reçut une proposition qui, dans les circonstances, lui était on ne peut plus acceptable. La mère Guilmette, pauvre veuve d'environ cinquante ans, qui demeurait dans la famille Rivard depuis plus de vingt ans, qui avait vu Jean naître, grandir, s'élever, et s'était attachée à lui avec une affection presque maternelle, voyant que notre jeune défricheur allait avoir durant les mois de l'été et de l'automne un surcroît de travail, offrit courageusement de l'accompagner pour lui servir de ménagère.

Le manque de chemin avait jusque-là empêché Jean Rivard de songer à emmener une ménagère dans son établissement ; mais l'heure était venue où il pouvait sans inconvénient se procurer ce confort.

Le nouveau chemin du canton de Bristol se trouvait déjà achevé jusqu'à l'habitation de Jean Rivard et celui-ci, pour la première fois, put se rendre en voiture jusqu'au seuil de sa porte.

Notre héros avait fait l'acquisition d'un cheval et d'une petite charrette de voyage.

Pierre Gagnon ne se possédait plus de joie en voyant arriver son Empereur assis à côté de la mère Guilmette.

Cette dernière était une ancienne connaissance de Pierre Gagnon qui plus d'une fois avait pris plaisir à la plaisanter et à la taquiner. Il se proposait bien de l'attaquer de nouveau, car la mère Guilmette entendait raillerie, et ne laissait jamais passer une parole sans y répondre.

Pierre Gagnon avait plusieurs autres raisons d'être satisfait de ce changement. D'abord il allait faire jaser tant et plus la bonne femme sur tout ce qui s'était passé à Grandpré durant les derniers six mois, – car sous ce rapport Jean Rivard n'était pas encore aussi communicatif que le désirait Pierre Gagnon, – il allait pouvoir raconter, rire, badiner, à son cœur content. Mais ce qui valait encore mieux, il allait être déchargé de ses fonctions de cuisinier, de blanchisseur, et surtout du soin de traire la Caille. Toutes ces diverses charges se trouvaient de droit dévolues à la mère Guilmette qui allait en outre avoir le soin des poules, du petit porc et du jardinage.

La vieille ménagère ne se trouva pas d'abord à l'aise, comme on le pense bien, dans la cabane de Jean Rivard. Elle y manquait de beaucoup de choses fort commodes dans le ménage ; la fraîche laiterie de madame Rivard à Grandpré, l'antique et grand dressoir, les armoires de toutes sortes, les buffets, le linge blanc comme la neige, tout cela revenait bien de temps à autre se représenter à sa mémoire comme pour contraster avec ce qui l'entourait ; peu-à-peu cependant elle s'habitua à son nouveau genre de vie, et grâce à l'obligeance de Pierre Gagnon qui tout en la raillant sans cesse était toujours disposé à lui rendre mille petits services, à aller quérir son eau à la rivière, allumer son feu, confectionner tous les jours, pour sa commodité, quelques meubles de son invention, elle put introduire en peu de temps des améliorations importantes dans la régie intérieure de l'établissement.

Puis elle se consolait en songeant à la maison nouvelle qu'elle aurait dans l'automne et dont Jean Rivard et ses hommes s'entretenaient tous les jours devant elle.

Vu l'exiguïté de l'habitation, déjà trop encombrée, Jean Rivard et ses deux hommes avaient depuis le printemps converti la grange en dortoir ; ils dormaient là chaque nuit sur leurs lits de paille mieux que les rois dans leurs alcôves moelleuses ; et la mère Guilmette disposait seule en reine et maîtresse de toute la cabane de Jean Rivard.

XXIII

La corvée

Sans avoir le vaste génie de Napoléon, Jean Rivard semblait avoir la même confiance de son étoile.

Ainsi, dès qu'il eut obtenu la main de Louise, et avant même de connaître le résultat de sa prochaine récolte, il résolut de se bâtir une maison. Cette entreprise avait, comme on l'a déjà dit, été depuis longtemps le sujet de ses rêves. Bien des fois il en avait causé avec ses compagnons de travail. Il en avait tracé le plan sur le papier ; et les divers détails de la construction, les divisions du bâtiment, les dimensions de chaque appartement, le plus ou moins de solidité à donner à l'édifice, et plusieurs autres questions de même nature occupaient son esprit depuis plus d'un an. Aussi, au moment dont nous parlons, son plan était-il déjà parfaitement arrêté.

Toutes les pièces destinées à la charpente de l'édifice avaient été coupées, équarries et tirées sur la place ; et en revenant de Grandpré, Jean Rivard avait acheté à Lacasseville les planches et les madriers, la chaux, les portes, les fenêtres et les ferrures nécessaires à la construction.

Quant au bardeau pour la toiture, il avait été fait à temps perdu par nos défricheurs durant l'hiver et les journées de mauvais temps.

Jean Rivard engagea d'abord les services d'un *tailleur* qui en trois ou quatre jours aidé de ses deux hommes, put tracer et préparer tout le bois nécessaire.

Quand les matériaux furent prêts et qu'il ne fut plus question que de *lever*, Jean Rivard résolut, suivant la coutume canadienne, d'appeler une *corvée*.

Le mot « corvée », d'après tous les dictionnaires de la langue française, s'emploie pour désigner un travail gratuit et forcé qui n'est fait qu'à regret, comme, par exemple, la corvée seigneuriale, les corvées de voirie, etc., regardées partout comme des servitudes. Mais il a dans le langage canadien un sens de plus qui date sans doute des premiers temps de l'établissement du pays.

Dans les paroisses canadiennes, lorsqu'un *habitant* veut lever une maison, une grange, un bâtiment quelconque exigeant l'emploi d'un grand nombre de bras, il invite ses voisins à lui donner un coup de main. C'est un travail gratuit, mais qui s'accomplit toujours avec plaisir. Ce service d'ailleurs sera rendu tôt ou tard par celui qui le reçoit ; c'est une dette d'honneur, une dette sacrée que personne ne se dispense de payer.

Ces réunions de voisins sont toujours amusantes ; les paroles, les cris, les chants, tout respire la gaieté. Dans ces occasions, les tables sont chargées de mets solides, et avant l'institution de la tempérance le rhum de la Jamaïque n'y faisait pas défaut.

Une fois l'œuvre accomplie, on plante sur le faîte de l'édifice, ce qu'on appelle le « bouquet », c'est-à-dire, quelques branches d'arbre, dans la direction desquelles les jeunes gens s'amusent à faire des décharges de mousqueterie. C'est une fête des plus joyeuses pour la jeunesse.

Mais dans les nouveaux établissements, où l'on sent plus que partout ailleurs le besoin de s'entraider, la corvée a, s'il est possible, quelque chose de plus amical, de plus fraternel ; on s'y porte avec encore plus d'empressement que dans les anciennes et riches paroisses des bords du Saint-Laurent. Chez ces pauvres mais courageux défricheurs la parole divine « aimez-vous les uns les autres » va droit au cœur. Parmi eux la corvée est un devoir dont on s'acquitte non seulement sans murmurer, mais en quelque sorte comme d'un acte de religion.

Ainsi, quoique Jean Rivard n'eût invité, pour l'aider à lever sa maison, que les hommes de la famille Landry et quelques autres des plus proches voisins, il vit, le lundi matin, arriver avec eux plus de trente autres colons établis de distance en distance à quelques milles de son habitation, lesquels ayant appris des jeunes Landry la circonstance de la corvée, s'empressaient de venir exécuter leur quote-part de travail. Il ne fut pas peu surpris de rencontrer parmi eux plusieurs jeunes gens qu'il avait connus intimement à Grandpré, dont quelques-uns même avaient été ses compagnons d'école et de catéchisme. Les anciens camarades se serrèrent cordialement la main, se promettant bien de continuer à être amis à l'avenir comme ils l'avaient été par le passé.

Chacun avait apporté avec soi sa hache et ses outils, et l'on se mit de suite à l'œuvre. Le bruit de l'égoïne et de la scie, les coups de la hache et du marteau, les cris et les chants des travailleurs, tout se faisait entendre en même temps ; l'écho de la forêt n'avait pas un instant de répit. Jean Rivard ne pouvait s'empêcher de s'arrêter de temps à autre pour contempler cette petite armée d'hommes laborieux, et lorsqu'il était seul avec Pierre Gagnon dans cette forêt encore vierge, ce qu'il avait maintenant sous ses yeux lui paraissait un rêve.

L'imagination de Pierre Gagnon s'exaltait aussi à la vue de ce progrès, et ses souvenirs historiques se représentaient en foule à sa mémoire. La maison qu'on était en train d'ériger n'était rien moins que le Palais de l'Empereur ; c'était Fontainebleau ou le Luxembourg, qu'on allait décorer pour recevoir l'Impératrice Marie-Louise.

Malgré les rires, les chants et les bavardages, l'ouvrage progressa si rapidement que dès le soir même du premier jour la maison était déjà debout.

La vieille ménagère de Jean Rivard eut fort à faire ce jour-là. Heureusement que la veille au soir Jean Rivard ayant été faire la chasse aux tourtes, avait rapporté quelques douzaines de cet excellent gibier ; il put ainsi offrir à ses convives quelque chose de plus que l'éternel lard salé. Une soupe aux tourtes aux petits pois n'est pas à dédaigner. Le jardin de Jean Rivard offrait déjà d'ailleurs des légumes en abondance. La mère Guilmette dut renoncer toutefois à écrémer son lait ce jour-là, et ses beaux vaisseaux de lait caillé disparaissaient l'un après l'autre, en dépit des regards mélancoliques qu'elle leur lançait en les déposant sur la table. Ce qui contribuait aussi un peu sans doute à la faveur particulière accordée à ce dessert c'est que chaque terrinée était couverte d'une couche de sucre d'érable, assaisonnement qui ne déplait pas à la plupart des goûts canadiens.

Dans la soirée, les jeunes gens s'amusèrent à tirer à poudre sur le bouquet de la bâtisse ; et Pierre Gagnon chanta son répertoire de chansons.

Une question assez délicate se présenta dans le cours de cette soirée. Jean Rivard eût bien voulu offrir à ses nombreux voisins, en les remerciant de leurs bons services, quelque autre rafraîchissement que l'eau de la rivière de Louiseville ou le lait de la Caille ; il s'était même procuré, à cette intention, quelques gallons de *whisky*, destinés à être bus au succès et à la prospérité de la nouvelle colonie. Mais le père Landry, qui avait plus d'expérience que Jean Rivard, et qui craignait pour ses grands garçons le goût de cette liqueur traîtresse, lui représenta avec tant de force et de conviction les maux de toutes sortes, les malheurs, les crimes, la pauvreté, les maladies engendrées par la boisson ; il lui exposa avec tant de sens et de raison le mauvais effet que produirait sur tous les habitants du canton l'exemple donné ainsi par celui qui en était considéré comme le chef, que Jean Rivard finit par se laisser convaincre, et dès le lendemain les deux cruches de whisky repartirent pour Lacasseville.

Un menuisier et un maçon furent employés pendant une quinzaine de jours à compléter l'intérieur de la maison.

Rien de plus simple que le plan de la demeure de Jean Rivard.

Elle était complètement en bois ; elle avait trente pieds sur trente, un seul étage, avec en outre cave et grenier. L'intérieur parfaitement éclairé par des fenêtres pratiquées sur tous les côtés, et rendu accessible par deux portes, l'une placée au milieu de la façade et l'autre en arrière communiquant avec la cuisine, était divisé en quatre appartements d'égale grandeur. Il y avait ainsi cuisine, chambre à dîner, chambre de compagnie et chambre à coucher. Deux petites fenêtres pratiquées dans le haut des pignons permettaient de convertir au besoin une partie du grenier en dortoir. Un simple perron exhaussé à deux pieds du sol s'étendait le long de toute la façade, et la couverture projetait juste assez pour garder des ardeurs du soleil sans assombrir l'intérieur du logis.

Tout l'extérieur devait être lambrissé, et l'intention de Jean Rivard était de le faire blanchir chaque année à la chaux pour préserver le bois des effets de la pluie et des intempéries des saisons. Les contrevents devaient être peinturés en vert ; c'était une fantaisie romanesque que voulait se donner notre héros. Il croyait aussi, et la suite démontra qu'il avait deviné juste, que cette diversité de couleurs donnerait à sa maison une apparence proprette et gaie qui ne déplairait pas à la future châtelaine.

« Avant que cette maison ne tombe en ruine, se disait-il, je serai en état de m'en bâtir une autre en brique ou en pierre. »

La situation, ou l'emplacement de sa maison, avait aussi été pour Jean Rivard l'objet de longues et fréquentes délibérations avec lui-même ; mais la ligne établie par le nouveau chemin avait mis fin à ses indécisions. Il avait fait choix d'une petite butte ou colline à pente très douce, éloignée d'un cinquantaine de pieds de la route publique ; la devanture devait faire face au soleil du midi. De la fenêtre donnant à l'ouest il pouvait entendre le murmure de la petite rivière qui traversait sa propriété. À l'est et un peu en arrière se trouvait le jardin, dont les arbres encore en germe ombrageraient plus tard le toit de sa demeure. Jean Rivard, malgré ses rudes combats contre les arbres de la forêt, était loin cependant de leur garder rancune, et il n'eut rien de plus pressé que de faire planter le long du nouveau chemin, vis-à-vis sa propriété, une suite d'arbrisseaux qui plus tard serviraient d'ornement, durant la belle saison, et prêteraient à ses enfants la fraîcheur de leur ombrage. Il en planta même quelques-uns dans le parterre situé en face de sa maison, mais il se garda bien d'y ériger un bosquet touffu, car il aimait avant tout l'éclat brillant et vivifiant de la lumière, et il n'oubliait pas l'aphorisme hygiénique : que « là où n'entre pas le soleil le médecin y entre. »

XXIV

Un chapitre scabreux

Au risque d'encourir à jamais la disgrâce des poètes, je me permettrai d'exposer dans un tableau concis le résultat des opérations agricoles de notre héros durant l'année 1845, et de faire connaître l'état de ses affaires au moment où la question de son mariage fut définitivement résolue.

Jean Rivard aurait pu ajouter aux quinze arpents défrichés et semés l'année précédente vingt autres arpents nouvellement abattus, ce qui lui avait constitué pour l'année 1845 une étendue de trente-cinq arpents de terre en culture. Je ne m'arrêterai pas aux détails et procédés des semailles et des récoltes qui furent à peu près les mêmes que ceux de la première année, avec cette différence toutefois qu'ils parurent beaucoup plus simples et plus faciles, grâce sans doute à l'habitude, et grâce aussi peut-être à l'usage de quelques ustensiles nouveaux que la confection du chemin public avait permis à Jean Rivard d'importer à Louiseville.

Le tableau suivant fera voir d'un coup d'œil la manière dont Jean Rivard avait reparti ses semences, et (par anticipation) le résultat de sa récolte, ainsi que la valeur en argent par la quantité de grains récoltés :

8 arpents semés en blé rapportèrent 160 minots, valant 40 louis.

8 arpents semés en avoine rapportèrent 300 minots, valant 15 louis.

3 arpents semés en orge rapportèrent 60 minots, valant 9 louis.

3 arpents semés en pois rapportèrent 30 minots, valant 10 louis.

3 arpents semés en sarrasin rapportèrent 90 minots, valant 40 louis.

6 arpents semés en patates rapportèrent 1000 minots, valant 40 louis.

3 arpents semés en foin et en légumes divers, pour une valeur de 24 louis.

En outre, un arpent ensemencé en légumes de table et servant de jardin potager, rapporta pour une valeur d'environ 8 louis.

Ajoutons à cela que la cendre des vingt arpents nouvellement défrichés avait produit huit barils de potasse représentant une valeur d'au moins 50 louis.

Total : 200 louis.

Jean Rivard calculait qu'en prenant sur ce total tout ce que requerraient les besoins de sa maison durant l'année suivante, et en retenant de chaque espèce de grains et de légumes la proportion nécessaire aux semailles du printemps suivant, il lui resterait encore pour une valeur d'au moins cent louis qu'il pourrait consacrer au paiement de ses dettes et à l'amélioration de sa propriété. Ses dettes se composaient des arrérages de gages de ses hommes, et de ses comptes courants avec les marchands de Lacasseville, chez lesquels il avait acheté les ferrures, les planches, la chaux et les autres matériaux employés à la construction de sa maison. Le tout pouvait s'élever à une somme de soixante-dix à quatre-vingts louis, de sorte qu'il lui restait, d'après ses calculs, une vingtaine de louis qu'il pourrait consacrer aux frais d'ameublement de sa maison et aux petites dépenses devant nécessairement résulter de son prochain mariage.

Disons tout de suite, à la peine d'anticiper encore sur les événements, que les opérations du battage et du vannage furent cette année de beaucoup simplifiées.

Grâce toujours au nouveau chemin, le père Landry avait pu aller chercher son moulin à battre laissé jusque-là à Grandpré, et ce moulin servit à tour de rôle à toute la population du canton de Bristol. En quelques jours, tout le grain de Jean Rivard fut battu, vanné, et une grande partie expédiée chez le marchand.

Quelle bénédiction que cette machine à battre ! quel travail long, fatiguant, ennuyeux, malsain, elle épargne au cultivateur ! Et pour celui qui, comme Jean Rivard, sait employer utilement chaque heure de la journée, quel immense avantage offre l'emploi de cette machine expéditive !

Consacrons maintenant quelques lignes à l'inventaire de la fortune de Jean Rivard, à l'époque de son mariage, c'est-à-dire, deux ans après son entrée dans la forêt.

On a déjà vu que notre défricheur avait la louable habitude de mettre par écrit tous les faits, tous les résultats qui pouvaient l'éclairer dans ses opérations journalières. Aussi avait-il pu, dès la première année, dire au juste ce que lui avait rapporté de profit net chaque arpent de chaque espèce de semence. Tout était calculé avec exactitude et précision, et il lui était facile de faire en tout temps un inventaire fidèle de ses dettes actives et passives.

Je n'ennuierai pas le lecteur en exposant dans tous ses détails le bilan de notre défricheur. Je me contenterai de dire que, après avoir calculé l'accroissement de valeur donnée à sa propriété par ses travaux de défrichement, après avoir supputé le prix de ses animaux, ustensiles, articles d'ameublement, puis les produits de sa récolte et de sa potasserie, et en avoir déduit le chiffre des dépenses, y compris les gages de ses deux hommes, il se trouvait, dès la première année, avoir augmenté sa richesse d'une somme d'au moins quatre-vingts louis.

N'est-ce pas là déjà un fait encourageant ?

Mais le résultat de la seconde année fut encore plus satisfaisant. Grâce à ses nouveaux défrichements, grâce surtout à la confection du nouveau chemin public, la valeur des cent acres de terre qu'il avait achetés au prix de six cents francs s'était élevée jusqu'à la somme d'au moins trois cents louis. Sa maison, sa grange, ses animaux, ses ustensiles agricoles, ses effets de ménage et sa récolte constituaient une autre valeur d'au moins deux cents louis.

Total : cinq cents louis.

Et toutes ses dettes étaient payées.

Voilà ce qu'avait produit, en moins de deux années, à l'aide du travail et de l'intelligence, un patrimoine de cinquante louis !

Combien, parmi la multitude de jeunes gens qui chaque année embrassent le commerce ou les professions libérales, combien peuvent se glorifier, dès le début, d'un aussi beau succès ?

Jean Rivard lui-même en était étonné. Il répétait souvent le vers du poète :

Grâce au ciel, mon bonheur passe mon espérance.

Mais si le passé ne lui offrait rien que d'encourageant, l'avenir se présentait encore sous de plus riantes couleurs. Pour le défricheur, aussi bien que pour l'industriel ou l'homme de profession, tout dépend du premier pas. Dans toutes les carrières, les commencements sont hérissés de difficultés et d'ennuis ; dans celle du défricheur plus peut-être que dans aucune autre. Mais celui qui, comme notre héros, a pu sans presque aucun capital, par sa seule énergie, sa persévérance, sa force de volonté, son intelligence et son travail, franchir tous les obstacles et atteindre au premier succès, peut dire sans crainte : l'avenir est à moi.

Jean Rivard avait pleine confiance dans la Providence qui l'avait protégé jusque-là ; que Dieu me laisse la santé, disait-il, et ma fortune s'accroîtra d'année en année ; chaque jour de mon travail augmentera ma richesse ; et avant dix ans je verrai mon rêve se réaliser, ma prédiction s'accomplir. C'est en faisant ces réflexions et en se livrant à ces espérances, que Jean Rivard partit de Louiseville au commencement du mois d'octobre pour se rendre à Grandpré, laissant à sa maison son engagé Lachance.

Il emmenait avec lui, pour la faire assister à ses noces, sa vieille et respectable ménagère, la mère Guilmette, qui s'était toujours montrée pour lui pleine d'attention et de dévouement. Il emmenait aussi son fidèle serviteur et compagnon Pierre Gagnon.

« C'est bien le moins, disait-il à celui-ci, que tu assistes à mes noces, puisque sans toi je ne me marierais pas. »

Ce brave et rustique Pierre Gagnon, malgré sa froideur apparente, ressentait vivement ces marques de bonté ; cette dernière était de nature à le toucher plus qu'aucun autre, car elle allait lui permettre de revoir, lui aussi, après deux ans d'absence, ses anciens amis de Grandpré qu'il n'avait pu oublier au milieu même de ses travaux les plus durs et de ses plus folles gaietés.

Mais il ne voulut pas partir sans se faire suivre de sa gentille Dulcinée qui n'aurait supporté que très difficilement l'absence de son maître. Pierre Gagnon d'ailleurs était fier de son élève et ne voulait pas manquer une aussi belle occasion de la produire dans le monde.

En passant au bureau de poste de Lacasseville, Jean Rivard y trouva une nouvelle lettre de son ami Gustave qu'il s'empressa de décacheter :

Cinquième lettre de Gustave Charmenil.

« Mon cher ami,

« Je regrette beaucoup que des circonstances imprévues ne me permettent pas d'accepter l'invitation que tu me fais d'assister à tes noces. Heureux mortel ! je serais jaloux de toi, si je ne connaissais ton bon cœur, et si je ne savais que tu as mérité cent fois par ton travail et ton courage le bonheur dont tu vas jouir. Te voilà établi, avec un moyen d'existence assuré, une belle et vertueuse compagne pour égayer tes jours... que peux-tu désirer de plus ?

« Et mon ancienne belle inconnue, dont tu t'informes encore dans chacune de tes lettres ?... Ah ! mon cher ami, je puis maintenant t'annoncer une nouvelle que je n'aurais pas eu la force de t'écrire, il y a un mois... Elle est... mariée ! Oui, mon cher ami, malgré ma première détermination bien arrêtée, j'avais fini, comme tu sais, par la connaître, lui parler, et apprendre sur son compte diverses particularités qui me la faisaient aimer davantage. Je me surprenais à faire encore malgré moi d'inutiles et chimériques projets, lorsqu'un dimanche du mois dernier, ne la voyant pas dans l'église à sa place ordinaire, et alarmé déjà de cette absence inusitée, j'entendis tout-à-coup au prône le prêtre annoncer parmi les promesses de mariage celle de M. X***, avocat, et de mademoiselle Joséphine Esther Adéline DuMoulin ! Je fus frappé comme de la foudre, et j'eus toutes les peines du monde à cacher à mes voisins les émotions terribles qui m'agitaient ; le cœur me battait à me rompre la poitrine.

« Chaque jour depuis, mon cher ami, je maudis malgré moi un état où les plus belles années de la vie se passent dans la privation des plaisirs du cœur, où le jeune homme doit tenir ensevelis au-dedans de lui-même les plus beaux sentiments de la nature, exposé sans cesse à se perdre au milieu des flots agités de cette mer orageuse qu'on appelle le monde.

« Mais c'est assez me désoler quand je ne devrais que te féliciter. J'espère que j'aurai un jour le plaisir d'accomplir ce devoir en personne. En attendant, je demeure, mon cher ami,

« Ton ami dévoué,

« Gustave Charmenil. »

XXV

Le mariage et la noce

Enfin, le dimanche, cinq octobre 1845, monsieur le curé de Grandpré fit au prône, avec toute la solennité accoutumée, la publication de bans qui suit :

« Il y a promesse de mariage entre Jean Rivard, ci-devant de cette paroisse, maintenant domicilié dans le canton de Bristol, fils majeur de feu Jean-Baptiste Rivard et d'Eulalie Boucher, ses père et mère de cette paroisse, d'une part ; et Louise Routier, fille mineure de François Routier et de Marguerite Fortin, ses père et mère aussi de cette paroisse, d'autre part. C'est pour la première et dernière publication. »

Le contrat de mariage avait été signé la veille par-devant Maître Boudreau, notaire de Grandpré. On y avait stipulé communauté de biens entre les deux futurs époux, douaire coutumier en faveur de l'épouse, don mutuel en faveur du survivant des deux conjoints. Le père Routier avait donné à sa fille, en avancement d'hoirie, une somme de six cents francs en argent, une vache, deux mères moutonnes, dix poules, un lit garni, une armoire, un rouet, sans compter le trousseau qui n'avait rien, il est vrai, d'aussi riche que les trousseaux de la plupart de nos jeunes citadines, mais qui en revanche se composait d'objets plus utiles et plus durables et devait être par conséquent plus profitable à la communauté.

Mais la partie la plus précieuse de la dot de mademoiselle Routier consistait dans ses habitudes d'industrie, d'ordre et d'économie. Elle avait été élevée par une mère de talent, et surtout de jugement, qui avait compris que l'un de ses principaux devoirs était d'initier de bonne heure sa fille à tout ce qui concerne les soins domestiques. Aussi était-elle, quoique n'ayant pas encore vingt ans, parfaitement au fait de tous les devoirs d'une maîtresse de maison. Elle pouvait présider à la cuisine et au besoin s'occuper des moindres détails de la basse-cour. Elle pouvait en outre coudre et tailler elle-même tout son linge de corps et de ménage, et confectionner sans le secours de personne ses divers effets de toilette. Aucune affaire d'intérieur ne lui était étrangère.

Pour le père Routier et surtout pour madame Routier, le mariage de Louise et son départ de la maison étaient loin d'être considérés comme un avantage ; c'était au contraire un sacrifice de plus d'un genre. Louise n'appartenait pas à cette classe de la société où la jeune fille douée d'intelligence, de force et de santé est cependant regardée comme une cause de dépenses plutôt que comme une source de richesse, où (chose pénible à dire !) elle est en quelque sorte comme un fardeau dans la maison de son père ! Erreur impardonnable dans l'éducation de la famille, qui laisse incultes et sans utilité des facultés que Dieu donne à toutes ses créatures pour les développer, les perfectionner et les faire servir au bonheur général.

Si l'on songe maintenant à toutes les autres qualités de mademoiselle Routier, à sa gaieté, à l'amabilité de son caractère, à sa sensibilité, et par-dessus tout, à sa nature aimante et dévouée, on admettra que Jean Rivard avait été aussi heureux dans le choix de sa femme que dans tout le reste.

Mardi, le sept octobre, à sept heures du matin, une procession composée d'environ quarante *calèches*, traînées chacune par un cheval fringant, brillamment enharnaché, se dirigeait de la maison de monsieur François Routier vers l'église paroissiale de Grandpré.

C'était la noce de Jean Rivard.

Dans la première voiture on voyait la mariée, vêtue de blanc, accompagnée de son père ; venait ensuite une autre voiture avec le garçon et la fille d'honneur, ou comme on dit plus généralement, le suivant et la suivante, dans la personne du frère aîné de Louise Routier, et celle de mademoiselle Mathilde Rivard avec laquelle nous avons déjà fait connaissance. Il eut été sans doute facile pour mademoiselle Routier d'avoir un plus grand nombre de filles d'honneur, mais elle se contenta volontiers d'une seule. Les parents, amis et connaissances des deux futurs venaient ensuite ; puis enfin dans la dernière calèche, se trouvait, vêtu de noir, le marié accompagné d'un oncle qui lui servait de père.

En apercevant cette longue suite de voiture sur la route de grandpré, les femmes et les enfants se précipitaient vers les portes et les fenêtres des maisons, en s'écriant : voilà la noce. Les gens occupés aux travaux des champs s'arrêtaient un instant pour les regarder passer.

Arrivés à l'église, le fiancé et la fiancée furent conduits par la main, par leurs pères respectifs, jusqu'au pied des balustres.

Après la messe et la cérémonie nuptiale, toute l'assistance se rendit à la sacristie où fut signé l'engagement irrévocable.

Sortis de la sacristie, les deux fiancés, devenus mari et femme, montèrent dans la même voiture, et prirent les devants, leurs pères respectifs occupant cette fois la calèche de derrière.

Il y avait dans le carillon des cloches, dans la propreté coquette des voitures, des chevaux et des attelages, dans les paroles, la tenue, la parure et les manières de toutes les gens de la noce un air de gaieté difficile à décrire.

Si quelque lecteur ou lectrice désirait obtenir de plus amples renseignements sur la toilette de la mariée et celle de sa fille d'honneur, je serais obligé de confesser mon ignorance ; toutefois à en juger d'après ce qui se pratiquait alors en pareille circonstance dans la classe agricole, je pourrais affirmer sans crainte que l'habillement complet de mademoiselle Routier, qui était mise à ravir, ne coûtait pas cent francs, et celui de sa suivante encore moins. Cette question d'ailleurs, toute importante qu'elle fût à leurs yeux, (auraient-elles été femmes sans cela !) ne les avait nullement empêchées de dormir.

Et les cadeaux de noces, cause d'insomnies et de palpitations de cœur chez la jeune citadine, sujet inépuisable de conversation, d'orgueil et d'admiration, à peine en fut-il question dans la famille Routier, ce qui pourtant ne nuisit en rien, j'en suis sûr, au bonheur futur du jeune ménage.

De retour chez monsieur Routier, – car c'est là que devait se passer le premier jour des noces, – le jeune couple dut, suivant l'usage, embrasser l'un après l'autre tous les invités de la noce, à commencer par les pères, mères, frères, sœurs, et autres proches parents. Près de deux cents baisers furent ainsi dépensés dans l'espace de quelques minutes, au milieu des rires, des éclats de voix et d'un mouvement général.

Le repas n'étant pas encore servi, on alla faire un tour de voiture, après quoi les invités vinrent tous s'asseoir à une longue table, à peu près dans l'ordre suivant : le marié et la mariée occupaient le haut bout de la table appelé la place d'honneur ; à leur droite le suivant et la suivante, et à gauche les père et mère de chacun des époux. Les autres convives se placèrent dans l'ordre qu'ils jugèrent convenable.

La table était dressée cette fois dans la grande chambre de compagnie, ce qui n'arrivait que dans les circonstances extraordinaires. Elle était littéralement chargée de mets de toutes sortes, surtout de viandes, dont les pièces énormes, d'un aspect appétissant, faisaient venir l'eau à la bouche et flamboyer les yeux des convives.

Pas n'est besoin de dire que l'on fit honneur au festin. Je ne voudrais pas même entreprendre d'énumérer les morceaux qui furent dépecés, servis et engloutis dans cette mémorable occasion.

Pour les petites bouches, plus friandes que gourmandes, il y avait force confitures aux fraises, aux prunes, aux melons, tartes de toutes sortes, crème au sucre d'érable : mets délicieux, s'il en est.

Parmi les hommes, quelques-uns regrettèrent, sans oser toutefois s'en plaindre tout haut, l'absence de spiritueux ; un petit verre de bon rum, comme on en buvait autrefois, n'eût, suivant eux, rien dérangé à la tête. Mais depuis quelques années, grâce aux prédications de quelques prêtres zélés, des sociétés de tempérance s'étaient établies dans toutes les villes et paroisses du Bas-Canada ; et durant les chaleurs de l'été, le sirop de vinaigre, la petite bière d'épinette, et dans quelques maisons, le vin de *gadelle* remplaçaient invariablement les liqueurs fortes du « bon vieux temps ».

Le père Routier qui n'avait pourtant aucun péché d'ivrognerie à se reprocher, avait cru, pour donner l'exemple à ses enfants qui commençaient à grandir, devoir prendre un des premiers l'engagement de s'abstenir de boissons spiritueuses, et la croix de bois teint en noir était un des objets qui frappaient le plus les regards en entrant dans la maison.

Malgré cela, le repas fut gai, et devint même peu-à-peu assez bruyant. Ce qu'on appelle dans le grand monde les règles du bon ton et de la bonne tenue n'y étaient peut-être pas rigoureusement observées en tous points, mais en revanche on s'y ennuyait moins. Les femmes n'y passaient pas leur temps à s'examiner pour se critiquer réciproquement ensuite, et les hommes causaient et badinaient sans arrière-pensée. Il était facile de voir que la vanité, cette grande plaie de nos villes, n'était que pour très peu de chose dans les apprêts de cette réunion intéressante. Le sans-gêne, la bonne humeur, l'entrain, la franche gaieté qui régnaient dans toute l'assemblée des convives formaient un des plus beaux tableaux de mœurs qui se puissent imaginer.

Plusieurs des invités renommés pour leurs belles voix chantèrent pendant le repas diverses chansons populaires, chansons d'amour, chansons à boire, chansons comiques, etc., auxquelles toute l'assistance répondait en chœur. « Vive la Canadienne » n'y fut pas oubliée, non plus que « la Claire Fontaine » et nos autres chants nationaux.

Les premiers violons de la paroisse avaient été retenus d'avance, et les danses commencèrent de bonne heure dans l'après-midi. Le bal fut ouvert par le marié et la mariée (Jean Rivard avait dû apprendre à danser pour la circonstance), et par le garçon et la fille d'honneur qui dansèrent un *reel* à quatre ; vinrent ensuite des cotillons, des gigues, des galopades, des menuets, des danses rondes, et nombre d'autres danses dont les noms nous sont à peine connus aujourd'hui et qu'on ne danse plus dans nos réunions sociales, quoiqu'elles soient de beaucoup plus intéressantes, au dire de certains connaisseurs, que la plupart des danses maintenant à la mode dans les salons canadiens.

La mariée avait la tête ceinte d'une couronne blanche qui servait à la distinguer des autres ; sa fille d'honneur en avait une aussi, mais d'un goût plus simple et plus modeste.

La toilette de toutes les jeunes filles du bal se distinguait par une simplicité charmante. Les blanches épaules étaient soigneusement voilées aux regards indiscrets, les robes montantes ne laissant voir que des figures où se peignaient la candeur et la joie. Point de joyaux de prix, point d'autres ornements de tête que quelques fleurs naturelles. Et tout cela n'empêchait pas la plupart d'entre elles d'être ravissantes de beauté, non de cette beauté artificielle, effet de l'art et d'arrangements étudiés, mais de cette fraîcheur, indice d'un sang riche et d'une santé florissante.

Notre ami Pierre Gagnon qui, depuis surtout qu'il avait sauvé la vie à son jeune maître, était le favori de la famille Routier aussi bien que de la famille Rivard, prit part comme tous les autres aux danses et aux chansons. Il réussit même, dans le cours de la soirée, à faire faire, au son de sa *bombarde,* quelques pas cadencés à sa gentille

Dulcinée, au grand amusement de toute la réunion.

Les danses se prolongèrent fort avant dans la nuit et la soirée se termina par des jeux.

Le lendemain, les gens de la noce se rendirent chez la mère du marié, la veuve Jean Baptiste Rivard.

Il y avait là un convive de plus que la veille : c'était le vénérable M. l'abbé Leblanc, curé de Grandpré, qui n'ayant pu être présent à la fête, le premier jour des noces, s'était fait un plaisir de venir assister au dernier dîner que son jeune ami devait prendre à Grandpré, avant de partir pour sa future résidence du canton de Bristol.

Par respect pour le vénérable convive, le repas fut un peu moins bruyant que la veille, quoique la gaieté ne cessât de régner.

Vers la fin du dîner, le digne curé se levant : « Mes jeunes amis, dit-il, en s'adressant aux mariés, permettez-moi de vous offrir encore une fois, avant votre départ, mes plus sincères félicitations. C'est un beau et touchant spectacle que celui de deux jeunes personnes dans toute la fraîcheur de leur printemps, qui se jurent, comme vous l'avez fait, devant Dieu et devant les hommes, d'être l'une à l'autre pour la vie, dans la santé comme dans la maladie, dans la bonne fortune comme dans l'adversité.

Mais nulle part ce spectacle n'est plus touchant que dans cette classe de la société où le jeune homme et la jeune femme, en formant ce nœud indissoluble, se vouent en même temps à une vie de labeur et de renoncement, et se résignent courageusement, suivant les paroles de l'Écriture, « à gagner leur pain à la sueur de leur front. »

« Je ne serais pas sincère si je vous disais que je vous vois avec indifférence quitter cette paroisse où vous êtes nés. Je vous ai baptisés tous deux, je vous ai préparés tous deux à recevoir le pain des anges, tous deux enfin je vous ai unis par ce lien à la fois si sacré et si doux du mariage chrétien ; vous m'êtes chers à plus d'un titre, et en quelque lieu que vous portiez vos pas, mes vœux et mes bénédictions vous accompagneront. Ce qui me console en quelque sorte en me séparant de vous, c'est que la carrière que vous allez parcourir est plus propre qu'aucune autre à assurer le bonheur de l'homme. Tout en tirant du sein de la terre, par un travail modéré, les choses nécessaires à la vie matérielle, vous allez continuer à développer vos forces et votre intelligence, et à exercer dans une juste mesure, toutes les facultés physiques et morales que Dieu vous a départies ; vous vous procurerez ainsi la santé du corps et de l'esprit et ce contentement de l'âme que les sages regardent avec raison comme la première condition du bonheur terrestre.

« Si, en considération de mes cheveux blancs, et de ma bonne et constante amitié, vous me permettez de vous adresser quelques conseils, je vous dirai :

« Conservez jusqu'à la fin de vos jours cette aimable gaieté qui semble être l'apanage exclusif de la jeunesse ; aimez-vous toujours d'un amour tendre et dévoué ; jouissez en paix de tous les plaisirs du cœur, et si le ciel, bénissant votre union, vous accorde des enfants, transmettez-leur intact, le bel héritage que vous avez reçu de vos ancêtres ; faites-en des chrétiens pleins d'honneur et de foi, de braves et dignes citoyens.

« Vous, mon jeune ami, ne vous laissez jamais séduire par l'appât des honneurs et des richesses. Tenez à l'estime de vos concitoyens, et si dans le cours de votre carrière qui sera longue, je l'espère, vous êtes appelé à remplir des fonctions publiques, ne refusez pas vos services à cette société dont vous faites partie ; mais que le devoir et non la vanité soit le mobile de vos actions. L'orgueil, le désir de s'élever, d'acquérir des distinctions illusoires, fait le malheur d'un grand nombre d'individus et par contrecoup celui de la société. C'est souvent parmi les hommes obscurs et inconnus que se trouvent les vrais sages, les âmes magnanimes, les nobles cœurs, les créatures d'élite les plus dignes du respect et de l'admiration de leurs semblables. Rappelez-vous toujours cette belle sentence de Fénelon : « les vrais biens sont la santé, la force, le courage, la paix, l'union des familles, la liberté de tous les citoyens, le simple nécessaire, l'habitude du travail, l'émulation pour la vertu et la soumission aux lois. » L'aisance, cette médiocrité que les poètes nous vantent avec raison, est préférable à une grande fortune. Il est permis et même louable de faire des économies pour les jours de la vieillesse et pour l'éducation des enfants ; mais quelque richesse que vous amassiez, fuyez le luxe et l'ostentation ; vivez simplement, modestement, tout en faisant le bien autour de vous, vous souvenant toujours que cette vie n'est qu'un court passage sur la terre :

« C'est là, mes chers enfants, le secret du bonheur. »

Et les jeunes mariés, après les adieux d'usage, où les pleurs ne manquèrent pas de couler, partirent pour leur future demeure du canton de Bristol.

Milton Keynes UK
Ingram Content Group UK Ltd.
UKHW031838310823
427750UK00009B/250

9 791041 834101